'사고력수학의 시작'

팡세

D1

4학년 | 패턴

사고가 자라는 수학
씨투엠

사고력 수학을 묻고
팡세가 답해요

Q: 사고력 수학은 '왜' 해야 하나요?

사고력 수학은 아이에게 낯선 문제를 접하게 함으로써 여러 가지 문제 해결 방법을 아이 스스로 생각하게 하는 것에 목적이 있어요. 정석적인 한 가지 풀이법만 알고 있는 아이는 결국 중등 이후에 나오는 응용 문제에 대한 해결력이 현저히 떨어지게 되지요. 반면 사고력 수학을 통해 여러 가지 풀이법을 스스로 생각하고 알아낸 경험이 있는 아이들은 한 번 막히는 문제도 다른 방법으로 뚫어낼 힘이 생기게 된답니다. 이러한 힘을 기르는 데 있어 사고력 수학이 가장 크게 도움이 된다고 확신해요.

Q: 사고력 수학이 '필수'인가요?

No but Yes! 초등 수학에서 가장 필수적인 것은 교과와 연산이지요. 또 중등에서의 서술형 평가를 대비하기 위한 서술형 학습과 어려운 중등 도형을 헤쳐나가기 위한 도형 학습 정도를 추가하면 돼요. 사고력 수학은 그 다음으로 중요하다고 할 수 있어요. 다만 만약 중등 이후에도 상위권을 꾸준하게 유지하겠다고 하시면 사고력 수학은 필수랍니다.

Q: 사고력 수학, 꼭 '어려운' 문제를 풀어야 하나요?

No! 기존의 사고력 수학 교재가 어려운 이유는 영재교육원 입시 때문이었어요. 상위권 중에서도 더 잘하는 아이, 즉 영재를 골라내는 시험에 사고력수학 문제가 단골로 출제되었고, 이에 대비하기 위해 만들어진 것이 초창기 사고력 수학 교재이지요. 하지만 모든 아이들이 영재일 수는 없고, 또 그래야할 필요도 없어요. 사고력 수학으로 영재를 확실하게 선별할 수 있는 것도 아니에요. 따라서 사고력 수학의 원래 목적, 즉 새로운 문제를 풀 수 있는 능력만 기를 수 있다면 난이도는 중요하지 않답니다. 오히려 어려운 문제는 수학에 대한 아이들의 자신감을 떨어뜨리는 부작용이 있다는 점! 반드시 기억해야 해요.

Q: 사고력 수학 학습에서 어떤 점에 '유의'해야 할까요?

가장 중요한 것은 아이가 스스로 방법을 생각할 수 있는 시간을 충분히 주는 거예요. 엄마나 선생님이 옆에서 방법을 바로 알려주거나 해답지를 줘버리면 사고력 수학의 효과는 없는 거나 마찬가지랍니다. 설령 문제를 못 풀더라도 아이가 스스로 고민하는 습관을 가지고, 방법을 찾아가는 시간을 늘리는 것이 아이의 문제해결력과 집중력을 기르는 방법이라고 꼭 새기며 아이가 스스로 발전할 수 있는 가능성을 믿어 보세요.

또 하나 더 강조하고 싶은 것은 문제의 답을 모두 맞힐 필요가 없다는 거예요. 사고력 수학 문제를 백점 맞는다고 해서 바로 성적이 쑥쑥 오르는 것이 아니에요. 사고력 수학은 훗날 아이가 더 어려운 문제를 풀기 위한 수학적 힘을 기르는 과정으로 봐야 하는 거지요. 그러니 아이가 하나 맞히고 틀리는 것에 일희일비하지 말고 우리 아이가 문제를 어떤 방법으로 풀려고 했고, 왜 어려워 하는지 표현하게 하는 것이 훨씬 중요하답니다. 사고력 수학은 문제의 결과인 답보다 답을 찾아가는 과정 그 자체에 의미가 있다는 사실을 꼭! 꼭! 기억해 주세요.

1. 패턴, 퍼즐과 전략, 유추, 카운팅 - 새로운 시대에 맞는 새로운 사고력 영역!

2. 아이가 혼자서도 술술 풀어나가며 자신감을 기르기에 딱 좋은 난이도!

3. 하루 10분 1장만 풀어도 초등에서 꼭 키워야 하는 사고력을 쑥쑥!

일일 소주제 학습

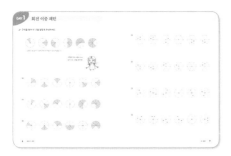

하루에 10분씩 매일 1장씩만 꾸준히 풀면 돼.

주차별 확인학습

5일 동안 배운 것 중 가장 중요한 문제를 복습하는 거야!

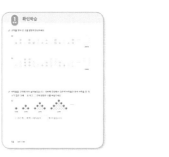

월간 마무리 평가

4주 동안 공부한 내용 중 어디가 부족한지 알 수 있다. 삐리삐리~

이 책의 차례

D1

pensées

패턴

회전 이중 패턴

✏️ 규칙을 찾아 빈 곳을 알맞게 완성하세요.

↳ 방향으로 2칸씩 이동하면서 1칸씩 늘어나도록 색칠합니다.

색칠된 칸이 이동하거나
늘어나는 규칙을 찾아봐.

❶

❷

❸

❹

❺

❻

❼

✏️ 삼중 패턴을 만들고 있습니다. 규칙을 찾아 빈칸을 알맞게 색칠하세요.

패턴1: 색칠된 칸이 1개씩 늘어납니다.
패턴2: 색칠된 칸이 ↘ 방향으로 1칸씩 회전합니다.
패턴3: 짝수 번째는 색이 반전됩니다.

세 가지 규칙이 있는 패턴이야.
그중 하나는 반전되는 규칙!

❶

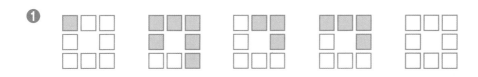

❷

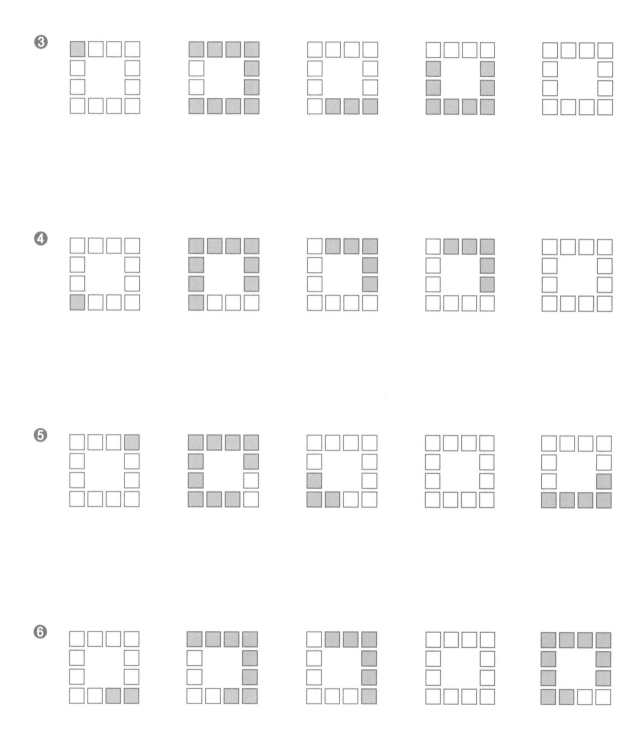

모양 삼중 패턴

✏️ 규칙을 찾아 빈 곳을 알맞게 완성하세요.

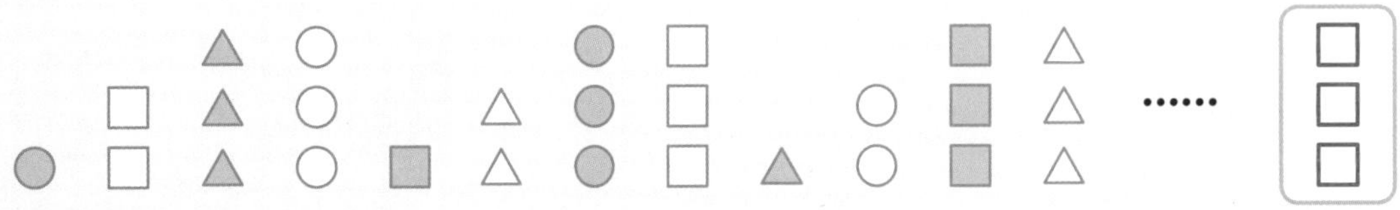

20번째

색깔: 마디가 **2**개이므로 **20 ÷ 2 = 10 ⋯ 0**, 마지막(두 번째) 색깔인 흰색과 같습니다.
모양: 마디가 **3**개이므로 **20 ÷ 3 = 6 ⋯ 2**, 두 번째 모양인 □와 같습니다.
개수: 마디가 **4**개이므로 **20 ÷ 4 = 5 ⋯ 0**, 마지막(네 번째) 개수인 **3**개와 같습니다.

> 색깔, 모양, 개수별로
> 규칙을 따로 생각해 봐.

❶

23번째

❷

26번째

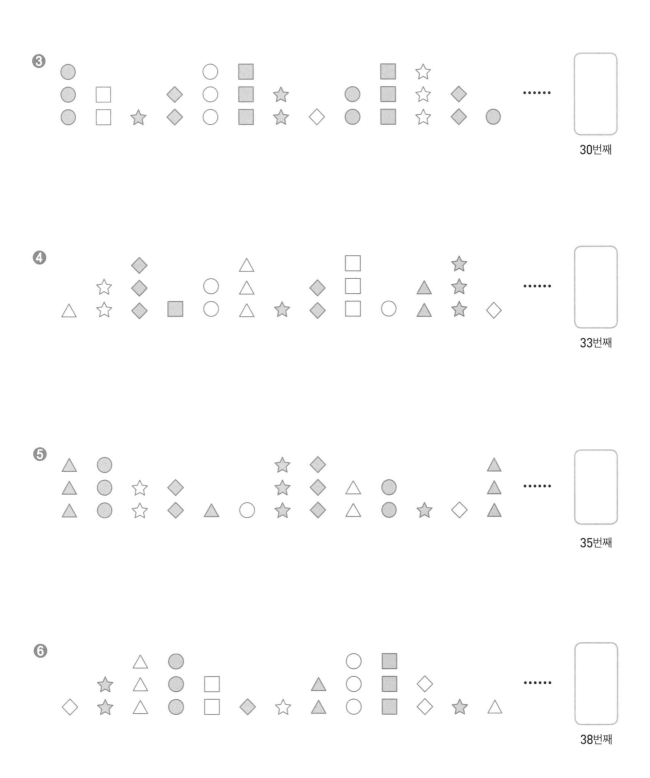

❸

30번째

❹

33번째

❺

35번째

❻

38번째

□번째 모양의 개수

✏️ 규칙에 따라 모양을 만든 것입니다. 물음에 답하세요.

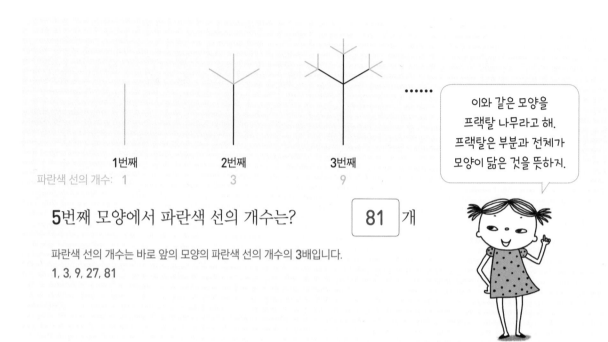

1번째   2번째   3번째

파란색 선의 개수: 1   3   9

5번째 모양에서 파란색 선의 개수는?   **81** 개

이와 같은 모양을 프랙탈 나무라고 해. 프랙탈은 부분과 전체가 모양이 닮은 것을 뜻하지.

파란색 선의 개수는 바로 앞의 모양의 파란색 선의 개수의 3배입니다.
1, 3, 9, 27, 81

❶

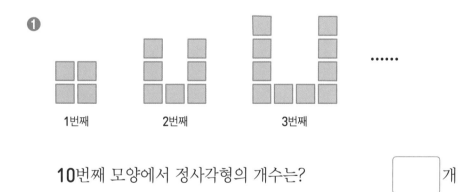

1번째   2번째   3번째

10번째 모양에서 정사각형의 개수는?   ☐ 개

❷

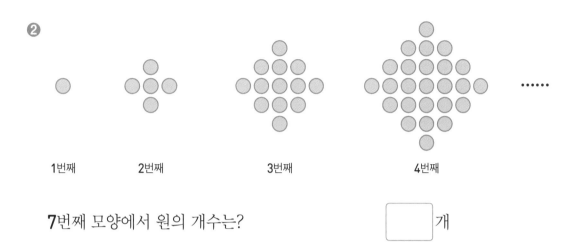

1번째   2번째   3번째   4번째

7번째 모양에서 원의 개수는?   ☐ 개

❸

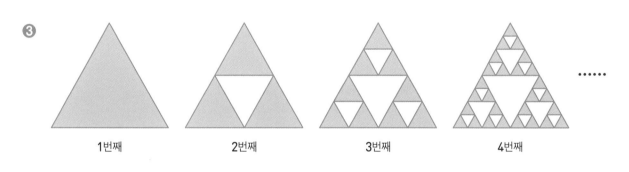

1번째   2번째   3번째   4번째

6번째 모양에서 색칠된 삼각형의 개수는?   ☐ 개

이와 같은 과정을
무한히 반복하여 만든 도형을
시어핀스키 삼각형이라고 해.

바둑돌 개수의 차

바둑돌을 규칙에 따라 늘어놓았습니다. 10번째 모양에서 검은색 바둑돌과 흰색 바둑돌 중 개수가 많은 것에 ○표 하고, ☐ 안에 알맞은 수를 써넣으세요.

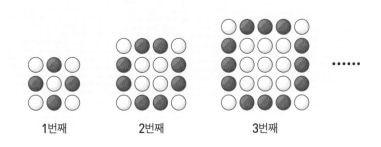

1번째   2번째   3번째

검은색, 흰색 바둑돌의
개수의 규칙을
각각 찾아봐.

(검은색 , ⬭흰색⬭) 바둑돌이 64 개 더 많습니다.

모양	1번째	2번째	3번째	......	10번째
검은색 바둑돌	1 × 4	2 × 4	3 × 4	......	10 × 4
흰색 바둑돌	1 × 1 + 4	2 × 2 + 4	3 × 3 + 4	......	10 × 10 + 4

10번째 모양에서 검은색 바둑돌은 10×4=40(개), 흰색 바둑돌은 10×10+4=104(개)이므로
흰색 바둑돌이 104-40=64(개) 더 많습니다.

①

1번째   2번째   3번째

(검은색 , 흰색) 바둑돌이 ☐ 개 더 많습니다.

❷

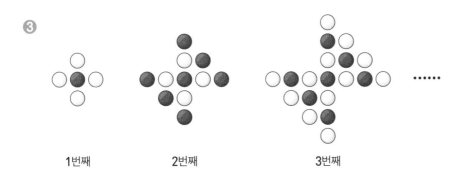

1번째   2번째   3번째

(검은색 , 흰색) 바둑돌이 ☐ 개 더 많습니다.

❸

1번째   2번째   3번째

(검은색 , 흰색) 바둑돌이 ☐ 개 더 많습니다.

확인학습

✏️ 규칙을 찾아 빈 곳을 알맞게 완성하세요.

❶

28번째

❷

33번째

✏️ 바둑돌을 규칙에 따라 늘어놓았습니다. 10번째 모양에서 검은색 바둑돌과 흰색 바둑돌 중 개수가 많은 것에 ○표 하고, ☐ 안에 알맞은 수를 써넣으세요.

❸

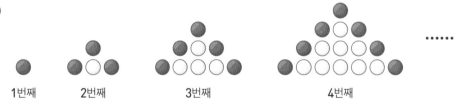

1번째   2번째   3번째   4번째

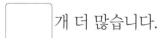

(검은색 , 흰색) 바둑돌이 ☐ 개 더 많습니다.

여러 가지 수열과 합

✏️ 수열입니다. ☐ 안에 알맞은 수를 써넣으세요.

① 3, 2, 9, 3, 2, 9, 3, 2, 9, 3, ☐

② 5, 12, 19, 26, 33, 40, 47, ☐

③ 76, 68, 60, 52, 44, 36, 28, ☐

④ 3, 6, 12, 24, 48, 96, ☐

⑤ 3, 4, 8, 15, 25, 38, 54, 73, ☐

⑥ 80, 78, 74, 68, 60, 50, 38, 24, ☐

❼ 4,　6,　10,　18,　34,　66,　[　　]

❽ 3,　7,　14,　18,　25,　29,　36,　40,　47,　[　　]

❾ 1,　4,　8,　11,　22,　25,　50,　53,　[　　]

❿ 89,　55,　34,　21,　13,　8,　5,　[　　]

⑪ 1,　9,　8,　13,　15,　17,　22,　21,　[　　],　[　　]

⑫ 3,　2,　9,　4,　15,　8,　21,　16,　[　　],　[　　]

여러 가지 수열의 □번째 수

✐ 수열입니다. □ 안에 알맞은 수를 써넣으세요.

50번째

2, 4, 5, 7, 2, 4, 5, 7, 2, 4, 5 ······ | 4 |

2, 4, 5, 7 네 개의 수가 반복됩니다.

50÷4=12···2이므로 50번째 수는 두 번째 수인 4와 같습니다.

50번째

1, 4, 7, 10, 13, 16, 19, 22, 25 ······ | 148 |

처음 수는 1, 더하는 수는 3입니다.

50번째 수는 1에서 3을
49번 더한 수와 같으므로
1+(3×49)=1+147=148입니다.

> 더하는 수가 일정한 수열의 ▨번째 수:
> (처음 수) + {(더하는 수) × (▨ − 1)}

60번째

❶ 6, 3, 1, 4, 6, 3, 1, 4, 6, 3, 1, 4, 6, 3 ······ | |

64번째

❷ 8, 5, 1, 2, 4, 8, 5, 1, 2, 4, 8, 5, 1, 2 ······ | |

❸ 3, 5, 7, 9, 11, 13, 15 ······ 30번째 [　]

❹ 6, 14, 22, 30, 38, 46, 54 ······ 45번째 [　]

❺ 13, 19, 25, 31, 37, 43, 49 ······ 70번째 [　]

❻ 80, 77, 74, 71, 68, 65, 62 ······ 20번째 [　]

❼ 150, 146, 142, 138, 134, 130 ······ 32번째 [　]

빼는 수가 일정한 수열의
■번째 수도 더하는 수가
일정한 수열과 같은 방법으로
구하면 돼.

더하는 수가 일정한 수열의 합

✏️ 수열입니다. ☐ 안에 알맞은 수를 써넣으세요.

$$2, \quad 6, \quad 10, \quad 14, \quad 18 \quad \cdots\cdots$$

처음 수부터 **7**번째 수까지의 합: $\boxed{98}$

2 + 6 + 10 + 14 + 18 + 22 + 26 ← 6번째 수는 22, 7번째 수는 26입니다.
+ 26 + 22 + 18 + 14 + 10 + 6 + 2 ← 7번째 수부터 거꾸로 쓴 후 세로로 더합니다.
─────────────────────────────────
28 + 28 + 28 + 28 + 28 + 28 + 28 = 28 × 7 = 196

↑ (처음 수) + (마지막 수)   ↑ 수열의 수의 개수

따라서 처음 수부터 **7**번째 수까지의 합은 196 ÷ 2 = 98입니다.

수열을 두 번 더한 것이므로 2로 나누어야 합니다.

더하는 수가 일정한 수열의 합:
{(처음 수) + (마지막 수)} × (수의 개수) ÷ 2

❶ 1,   3,   5,   7,   9   ⋯⋯

처음 수부터 **7**번째 수까지의 합: ☐

❷ 4,   7,   10,   13,   16   ⋯⋯

처음 수부터 **8**번째 수까지의 합: ☐

❸ 9,　　11,　　13,　　15,　　17　……

처음 수부터 **20**번째 수까지의 합: ☐

❹ 2,　　8,　　14,　　20,　　26　……

처음 수부터 **20**번째 수까지의 합: ☐

❺ 3,　　11,　　19,　　27,　　35　……

처음 수부터 **25**번째 수까지의 합: ☐

❻ 70,　　68,　　66,　　64,　　62　……

처음 수부터 **30**번째 수까지의 합: ☐

❼ 100,　　97,　　94,　　91,　　88　……

처음 수부터 **30**번째 수까지의 합: ☐

더하는 수가 일정하게 커지는 수열의 □번째 수

✏️ 더하는 수가 일정하게 커지는 수열의 ■번째 수를 구하려고 합니다. □ 안에 알맞은 수를 써넣으세요.

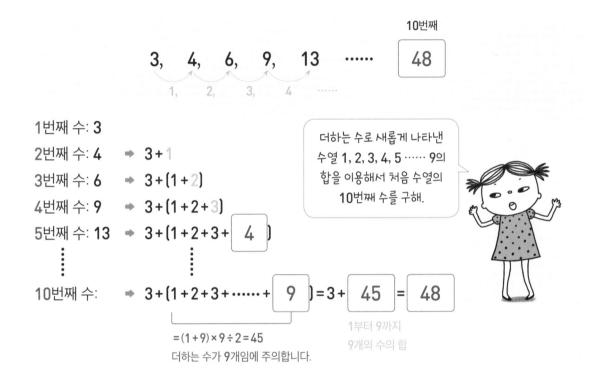

10번째

3,　4,　6,　9,　13　……　| 48 |

1,　2,　3,　4　……

1번째 수: 3

2번째 수: 4　➡　3 + 1

3번째 수: 6　➡　3 + (1 + 2)

4번째 수: 9　➡　3 + (1 + 2 + 3)

5번째 수: 13　➡　3 + (1 + 2 + 3 + | 4 |)

⋮

10번째 수:　➡　3 + (1 + 2 + 3 + …… + | 9 |) = 3 + | 45 | = | 48 |

= (1 + 9) × 9 ÷ 2 = 45
더하는 수가 9개임에 주의합니다.

1부터 9까지
9개의 수의 합

> 더하는 수로 새롭게 나타낸 수열 1, 2, 3, 4, 5 …… 9의 합을 이용해서 처음 수열의 10번째 수를 구해.

10번째

❶　1,　3,　7,　13,　21　……　| |

6번째 수: 1 + (2 + 4 + 6 + 8 + | |)

7번째 수: 1 + (2 + 4 + 6 + 8 + | | + | |)

10번째 수: 1 + (2 + 4 + 6 + 8 + …… + | |) = | |

9개

❷ 4,   5,   8,   13,   20   ······   [15번째]

15번째 수: $4 + (1 + 3 + 5 + 7 + \cdots + \boxed{}) = \boxed{}$

14개

❸ 3,   5,   10,   18,   29   ······   [15번째]

15번째 수: $3 + (2 + 5 + 8 + 11 + \cdots + \boxed{}) = \boxed{}$

14개

❹ 2,   3,   7,   14,   24   ······   [20번째]

❺ 3,   4,   9,   18,   31   ······   [25번째]

✏️ 수열입니다. ☐ 안에 알맞은 수를 써넣으세요.

50번째

(1,) (1, 2,) (1, 2, 3,) (1, 2, 3, 4,) (1, 2, 3, 4, 5,) 1 ······ 5

괄호 안의 첫 번째 수는 항상 1이고, 괄호 안의 수의 개수는 1, 2, 3, 4 ······로 1개씩 늘어납니다.
9번째 묶음까지의 수의 개수는 1 + 2 + 3 + 4 + ······ + 9 = 45이므로
50번째 수는 10번째 묶음의 5번째 수입니다.
따라서 5입니다.

규칙을 찾을 수 있도록
괄호( )로 묶어 봐.

70번째

❶ 1, 2, 2, 3, 3, 3, 4, 4, 4, 4, 5, 5, 5, 5, 5 ······ ☐

30번째

❷ 1, 1, 3, 1, 3, 5, 1, 3, 5, 7, 1, 3, 5, 7, 9, 1 ······ ☐

40번째

❸ 2, 2, 4, 2, 4, 6, 2, 4, 6, 8, 2, 4, 6, 8, 10, 2 ······ ☐

❹ 1, 2, 1, 3, 2, 1, 4, 3, 2, 1, 5, 4, 3, 2, 1, 6 ······

60번째 [ ]

❺ 1, 2, 3, 3, 4, 5, 4, 5, 6, 7, 5, 6, 7, 8, 9, 6 ······

65번째 [ ]

❻ 1, 1, 2, 3, 1, 2, 3, 4, 5, 1, 2, 3, 4, 5, 6, 7 ······

45번째 [ ]

❼ 1, 1, 2, 1, 1, 2, 3, 2, 1, 1, 2, 3, 4, 3, 2, 1 ······

33번째 [ ]

✎ 더하는 수가 일정하게 커지는 수열의 ■번째 수를 구하려고 합니다. ☐ 안에 알맞은 수를 써넣으세요.

15번째

❶ 2,   3,   6,   11,   18 …… ☐

20번째

❷ 4,   6,   11,   19,   30 …… ☐

✎ 수열입니다. ☐ 안에 알맞은 수를 써넣으세요.

90번째

❸ 1, 1, 2, 1, 2, 3, 1, 2, 3, 4, 1, 2, 3, 4, 5, 1 …… ☐

50번째

❹ 1, 3, 3, 3, 5, 5, 5, 5, 5, 7, 7, 7, 7, 7, 7, 7 …… ☐

✏️ 다음과 같은 규칙으로 수를 배열하였습니다. 물음에 답하세요.

㉠	1	6	7	12	13	……
㉡	2	5	8	11	14	……
㉢	3	4	9	10	15	……

26이 있는 줄의 기호는 무엇입니까?

㉡

수 6개가 하나의 마디이므로 6으로 나누어 봅니다.

수의 위치	㉠	㉡	㉢
6으로 나눈	1	2	3
나머지	0	5	4

$26 \div 6 = 4 \cdots 2$이므로 26은 ㉡에 있습니다.

수가 ⨅⨆⨅ 모양으로 배열되어 있으므로 묶여 있는 수 6개가 하나의 마디야.

㉠	1	8	9	16	17	……
㉡	2	7	10	15	18	……
㉢	3	6	11	14	19	……
㉣	4	5	12	13	20	……

❶ 52가 있는 줄의 기호는 무엇입니까?

❷ 73이 있는 줄의 기호는 무엇입니까?

㉠	㉡	㉢	㉣	㉤
1	2	3	4	5
10	9	8	7	6
11	12	13	14	15
20	19	18	17	16
21	22	23	24	25
⋮	⋮	⋮	⋮	⋮

❸ 59가 있는 줄의 기호는 무엇입니까?

❹ 93이 있는 줄의 기호는 무엇입니까?

㉠	㉡	㉢	㉣	㉤	㉥
1	2	3	4	5	6
12	11	10	9	8	7
13	14	15	16	17	18
24	23	22	21	20	19
25	26	27	28	29	30
⋮	⋮	⋮	⋮	⋮	⋮

❺ 85가 있는 줄의 기호는 무엇입니까?

❻ 102가 있는 줄의 기호는 무엇입니까?

✏️ 다양한 방법으로 수를 배열하였습니다. 물음에 답하세요.

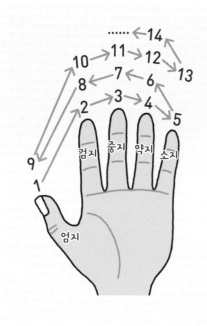

그림과 같이 수를 셀 때 **54**를 세는 손가락은 어느 손가락입니까?

약지

각 손가락이 세는 수는 8개씩 같은 위치에 반복됩니다.

손가락 위치	엄지	검지	중지	약지	소지
8로 나눈 나머지	1	2	3	4	5
		0	7	6	

54 ÷ 8 = 6 ··· 6이므로 54는 약지로 셉니다.

엄지와 소지로 세는 수에 주의하면서 규칙을 찾아봐.

네 사람이 다음과 같은 순서로 수 세기 놀이를 하고 있습니다.

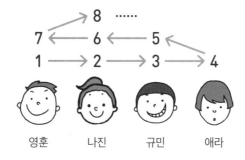

영훈 나진 규민 애라

❶ 68을 말하는 사람은 누구입니까?

❷ 100을 말하는 사람은 누구입니까?

다음과 같이 왼손 소지부터 수를 세고 있습니다.

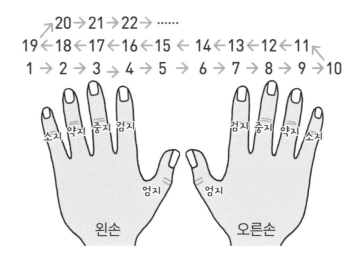

③ **99**를 세는 손가락은 어느 쪽 어느 손가락입니까?

[ ] 손 [ ]

④ **250**을 세는 손가락은 어느 쪽 어느 손가락입니까?

[ ] 손 [ ]

다음과 같은 순서로 실로폰을 치고 있습니다.

⑤ **85**번째 치게 되는 건반은 무엇입니까?

[ ]

⑥ **177**번째 치게 되는 건반은 무엇입니까?

[ ]

배열표에서 수 찾기 (1)

✏️ 다음과 같은 규칙으로 수를 배열하였습니다. 물음에 답하세요.

	1열	2열	3열	4열	......
1행	1	2	5	10	......
2행	4	3	6	11	......
3행	9	8	7	12	......
4행	16	15	14	13	......
⋮	⋮	⋮	⋮	⋮	⋰

1열에 있는 수는 1 × 1, 2 × 2, 3 × 3, 4 × 4 ······ 입니다.

49는 몇 행 몇 열의 수입니까?

> 7행 1열

49 = 7 × 7이므로 49는 7행 1열의 수입니다.

47은 몇 행 몇 열의 수입니까?

> 7행 3열

7행 1열에서 오른쪽으로 갈수록 1씩 작아지므로 47은 7행 3열의 수입니다.

> 1열에 있는 수의 규칙을 찾아봐.

	1열	2열	3열	4열	......
1행	1	2	5	10	......
2행	4	3	6	11	......
3행	9	8	7	12	......
4행	16	15	14	13	......
⋮	⋮	⋮	⋮	⋮	⋰

❶ **81**은 몇 행 몇 열의 수입니까?

❷ **78**은 몇 행 몇 열의 수입니까?

	1열	2열	3열	4열	⋯⋯
1행	1	4	9	16	⋯⋯
2행	2	3	8	15	⋯⋯
3행	5	6	7	14	⋯⋯
4행	10	11	12	13	⋯⋯
⋮	⋮	⋮	⋮	⋮	⋱

❸ 64는 몇 행 몇 열의 수입니까?

❹ 62는 몇 행 몇 열의 수입니까?

❺ 100은 몇 행 몇 열의 수입니까?

❻ 97은 몇 행 몇 열의 수입니까?

❼ 116은 몇 행 몇 열의 수입니까?

배열표에서 수 찾기 (2)

✏️ 다음과 같은 규칙으로 수를 배열하였습니다. 물음에 답하세요.

	1열	2열	3열	4열	⋯⋯
1행	1	2	5	10	⋯⋯
2행	4	3	6	11	⋯⋯
3행	9	8	7	12	⋯⋯
4행	16	15	14	13	⋯⋯
⋮	⋮	⋮	⋮	⋮	⋱

더하는 수가 **1**부터 시작하여
2씩 커집니다.

1 × 1, 2 × 2, 3 × 3, 4 × 4 ⋯⋯ 입니다.

더하는 수가 **2**부터 시작하여
2씩 커집니다.

가로, 세로, 대각선 방향으로
규칙을 찾을 수 있어.

	1열	2열	3열	4열	⋯⋯
1행	1	2	5	10	⋯⋯
2행	4	3	6	11	⋯⋯
3행	9	8	7	12	⋯⋯
4행	16	15	14	13	⋯⋯
⋮	⋮	⋮	⋮	⋮	⋰

❶ **13**행 **1**열의 수는 무엇입니까?

❷ **1**행 **8**열의 수는 무엇입니까?

❸ **7**행 **7**열의 수는 무엇입니까?

	1열	2열	3열	4열	⋯⋯
1행	1	4	9	16	⋯⋯
2행	2	3	8	15	⋯⋯
3행	5	6	7	14	⋯⋯
4행	10	11	12	13	⋯⋯
⋮	⋮	⋮	⋮	⋮	⋱

❹ 1행 15열의 수는 무엇입니까?

❺ 10행 1열의 수는 무엇입니까?

❻ 9행 9열의 수는 무엇입니까?

❼ 4행 11열의 수는 무엇입니까?

❽ 8행 6열의 수는 무엇입니까?

✏️ 다음과 같은 규칙으로 수를 배열하였습니다. 물음에 답하세요.

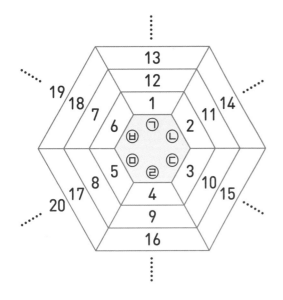

❶ 56이 있는 줄의 기호는 무엇입니까?

❷ 109가 있는 줄의 기호는 무엇입니까?

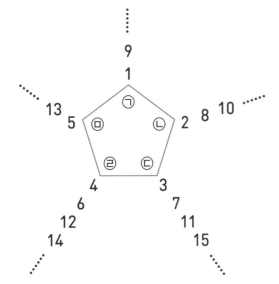

❸ 79가 있는 줄의 기호는 무엇입니까?

❹ 96이 있는 줄의 기호는 무엇입니까?

```
           1 ·················· 1행
        2  3  4 ··············· 2행
     5  6  7  8  9 ············ 3행
  10 11 12 13 14 15 16 ········ 4행
17 18 19 20 21 22 23 24 25 ···· 5행
```

❺ 84는 몇 행의 몇 번째 수입니까?

❻ 130은 몇 행의 몇 번째 수입니까?

	1열	2열	3열	4열	5열	......
1행	1	4	5	16	17	......
2행	2	3	6	15	18	......
3행	9	8	7	14	19	......
4행	10	11	12	13	20	......
5행	25	24	23	22	21	......
⋮	⋮	⋮	⋮	⋮	⋮	⋮

❼ 100은 몇 행 몇 열의 수입니까?

❽ 62는 몇 행 몇 열의 수입니까?

❾ 123은 몇 행 몇 열의 수입니까?

✏️ 다음과 같은 규칙으로 수를 배열하였습니다. 물음에 답하세요.

	1열	2열	3열	4열	‧‧‧‧‧‧
1행	1	2	5	10	‧‧‧‧‧‧
2행	4	3	6	11	‧‧‧‧‧‧
3행	9	8	7	12	‧‧‧‧‧‧
4행	16	15	14	13	‧‧‧‧‧‧
⋮	⋮	⋮	⋮	⋮	⋮

❶ 11행 1열의 수는 무엇입니까?

❷ 1행 9열의 수는 무엇입니까?

❸ 8행 8열의 수는 무엇입니까?

✏️ 다음과 같은 규칙으로 수를 배열하였습니다. 물음에 답하세요.

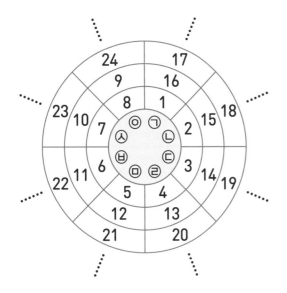

❹ 100이 있는 줄의 기호는 무엇입니까?

❺ 119가 있는 줄의 기호는 무엇입니까?

분수 수열

4
주차

분모 또는 분자가 일정한 분수 수열

✎ 분수를 이용하여 수열을 만들 수 있습니다. 규칙을 찾아 ☐ 안에 알맞은 분수를 써넣으세요.

$$\frac{1}{10}, \quad \frac{3}{10}, \quad \frac{5}{10}, \quad \frac{7}{10}, \quad \frac{9}{10}, \quad \frac{11}{10}, \quad \frac{13}{10}, \quad \boxed{\frac{15}{10}}$$

분자: 1부터 시작하여 2씩 커집니다.
분모: 10입니다.

분모는 모두 10이니까 분자의 규칙만 생각하면 되겠네.

❶ $\dfrac{2}{13}, \quad \dfrac{6}{13}, \quad \dfrac{10}{13}, \quad \dfrac{14}{13}, \quad \dfrac{18}{13}, \quad \dfrac{22}{13}, \quad \dfrac{26}{13}, \quad \boxed{}$

❷ $\dfrac{10}{3}, \quad \dfrac{10}{6}, \quad \dfrac{10}{9}, \quad \dfrac{10}{12}, \quad \dfrac{10}{15}, \quad \dfrac{10}{18}, \quad \boxed{}, \quad \dfrac{10}{24}$

❸ $\dfrac{2}{7}, \quad \dfrac{8}{7}, \quad \dfrac{14}{7}, \quad \dfrac{20}{7}, \quad \boxed{}, \quad \dfrac{32}{7}, \quad \dfrac{38}{7}, \quad \dfrac{44}{7}$

④ $\dfrac{1}{15}$, $\dfrac{2}{15}$, $\dfrac{4}{15}$, $\dfrac{8}{15}$, $\dfrac{16}{15}$, $\dfrac{32}{15}$, $\dfrac{64}{15}$, ☐

⑤ $\dfrac{4}{20}$, $\dfrac{5}{20}$, $\dfrac{7}{20}$, $\dfrac{10}{20}$, $\dfrac{14}{20}$, $\dfrac{19}{20}$, $\dfrac{25}{20}$, ☐

⑥ $\dfrac{12}{2}$, $\dfrac{12}{4}$, $\dfrac{12}{8}$, $\dfrac{12}{14}$, $\dfrac{12}{22}$, ☐, $\dfrac{12}{44}$, $\dfrac{12}{58}$

⑦ $\dfrac{1}{8}$, $\dfrac{2}{8}$, $\dfrac{3}{8}$, $\dfrac{5}{8}$, $\dfrac{8}{8}$, $\dfrac{13}{8}$, ☐, $\dfrac{34}{8}$

⑧ $\dfrac{16}{3}$, $\dfrac{16}{2}$, $\dfrac{16}{5}$, $\dfrac{16}{7}$, $\dfrac{16}{12}$, $\dfrac{16}{19}$, $\dfrac{16}{31}$, ☐

분수 수열 만들기

✏️ 규칙에 맞게 분수 수열을 완성하세요.

> 분자: **3**씩 커집니다.
>
> 분모: 더하는 수가 **1**씩 커집니다.

$$\frac{1}{2} , \quad \frac{4}{3} , \quad \frac{7}{5} , \quad \frac{10}{8} , \quad \boxed{\frac{13}{12}} , \quad \boxed{\frac{16}{17}} , \quad \boxed{\frac{19}{23}}$$

> 규칙이 **2**개 있는 수열처럼 분모, 분자를 따로 생각해.

①

> 분자: **1, 2, 3**이 반복됩니다.
>
> 분모: **4**씩 커집니다.

$$\frac{1}{3} , \quad \frac{2}{7} , \quad \frac{3}{11} , \quad \frac{1}{15} , \quad \boxed{} , \quad \boxed{} , \quad \boxed{}$$

②

> 분자: **1**부터 순서대로 같은 수를 곱합니다.
>
> 분모: **2**씩 작아집니다.

$$\frac{1}{19} , \quad \frac{4}{17} , \quad \frac{9}{15} , \quad \frac{16}{13} , \quad \boxed{} , \quad \boxed{} , \quad \boxed{}$$

❸

분자: **2**씩 곱합니다.

분모: 더하는 수가 **3**씩 커집니다.

$$\frac{3}{50}, \quad \frac{6}{53}, \quad \frac{12}{59}, \quad \frac{24}{68}, \quad \boxed{}, \quad \boxed{}, \quad \boxed{}$$

❹

분자: **2, 4, 6, 8**이 반복됩니다.

분모: 앞의 두 수의 합입니다.

$$\frac{2}{5}, \quad \frac{4}{2}, \quad \frac{6}{7}, \quad \frac{8}{9}, \quad \boxed{}, \quad \boxed{}, \quad \boxed{}$$

❺

분자: **7**의 단 곱셈구구 결과를 일의 자리 숫자만 나열합니다.

분모: **+2**, **+4**를 반복하여 계산합니다.

$$\frac{7}{10}, \quad \frac{4}{12}, \quad \frac{1}{16}, \quad \frac{8}{18}, \quad \boxed{}, \quad \boxed{}, \quad \boxed{}$$

❻

분자: **2**씩 곱합니다.

분모: 분자보다 **3** 큰 수입니다.

$$\frac{2}{5}, \quad \frac{4}{7}, \quad \frac{8}{11}, \quad \frac{16}{19}, \quad \boxed{}, \quad \boxed{}, \quad \boxed{}$$

분수 수열 완성하기

✏️ 분수로 만든 수열입니다. ☐ 안에 알맞은 수를 써넣으세요.

$$\frac{1}{2}, \quad \frac{2}{5}, \quad \frac{4}{8}, \quad \frac{8}{11}, \quad \frac{16}{14}, \quad \frac{32}{17}, \quad \boxed{\frac{64}{20}}$$

분자: 2씩 곱합니다.
분모: 3씩 커집니다.

분모, 분자끼리
따로 규칙을 생각해 봐.

❶ $\frac{3}{2}, \quad \frac{6}{6}, \quad \frac{8}{10}, \quad \frac{3}{14}, \quad \frac{6}{18}, \quad \frac{8}{22}, \quad \frac{3}{26}, \quad \boxed{}$

❷ $\frac{1}{3}, \quad \frac{4}{5}, \quad \frac{7}{8}, \quad \frac{10}{12}, \quad \frac{13}{17}, \quad \frac{16}{23}, \quad \frac{19}{30}, \quad \boxed{}$

❸ $\frac{10}{3}, \quad \frac{13}{9}, \quad \frac{19}{27}, \quad \frac{28}{81}, \quad \frac{40}{243}, \quad \boxed{}$

4 $\dfrac{1}{20}$, $\dfrac{2}{22}$, $\dfrac{3}{28}$, $\dfrac{5}{30}$, $\dfrac{8}{36}$, $\dfrac{13}{38}$, $\dfrac{21}{44}$, $\dfrac{34}{46}$, ☐

5 $\dfrac{1}{4}$, $\dfrac{2}{5}$, $\dfrac{1}{7}$, $\dfrac{3}{10}$, $\dfrac{2}{14}$, $\dfrac{1}{19}$, $\dfrac{4}{25}$, $\dfrac{3}{32}$, $\dfrac{2}{40}$, $\dfrac{1}{49}$, ☐

6 $\dfrac{1}{1}$, $\dfrac{3}{3}$, $\dfrac{2}{3}$, $\dfrac{1}{3}$, $\dfrac{5}{5}$, $\dfrac{4}{5}$, $\dfrac{3}{5}$, $\dfrac{2}{5}$, $\dfrac{1}{5}$, ☐

7 $\dfrac{1}{1}$, $\dfrac{1}{2}$, $\dfrac{2}{1}$, $\dfrac{1}{3}$, $\dfrac{2}{2}$, $\dfrac{3}{1}$, $\dfrac{1}{4}$, $\dfrac{2}{3}$, $\dfrac{3}{2}$, $\dfrac{4}{1}$, ☐

8 $\dfrac{1}{2}$, $\dfrac{1}{4}$, $\dfrac{2}{3}$, $\dfrac{1}{6}$, $\dfrac{2}{5}$, $\dfrac{3}{4}$, $\dfrac{1}{8}$, $\dfrac{2}{7}$, $\dfrac{3}{6}$, $\dfrac{4}{5}$, ☐

분수 수열의 ☐번째 수

✏️ 분수로 만든 수열입니다. ☐ 안에 알맞은 수를 써넣으세요.

$$\frac{5}{1}, \quad \frac{7}{3}, \quad \frac{9}{7}, \quad \frac{11}{13}, \quad \boxed{\frac{13}{21}}, \quad \frac{15}{31}, \quad \frac{17}{43}$$

분자: 2씩 커집니다.
분모: 더하는 수가 2씩 커집니다.

규칙을 잘 찾아보자.

❶ $\dfrac{1}{2}, \quad \dfrac{3}{5}, \quad \dfrac{5}{9}, \quad \dfrac{7}{14}, \quad \boxed{}, \quad \dfrac{11}{27}, \quad \dfrac{13}{35}, \quad \dfrac{15}{44}$

❷ $\dfrac{1}{3}, \quad \dfrac{4}{6}, \quad \dfrac{10}{12}, \quad \dfrac{22}{24}, \quad \dfrac{46}{48}, \quad \boxed{}, \quad \dfrac{190}{192}$

❸ $\dfrac{2}{99}, \quad \dfrac{3}{95}, \quad \dfrac{8}{91}, \quad \boxed{}, \quad \dfrac{14}{83}, \quad \dfrac{15}{79}, \quad \dfrac{20}{75}, \quad \dfrac{21}{71}$

④ $\dfrac{1}{2}$, $\dfrac{4}{3}$, $\dfrac{5}{6}$, $\dfrac{8}{7}$, $\dfrac{9}{10}$, $\dfrac{12}{11}$, $\boxed{\dfrac{13}{14}}$, $\dfrac{16}{15}$, $\dfrac{17}{18}$

⑤ $\dfrac{1}{2}$, $\dfrac{2}{3}$, $\dfrac{3}{5}$, $\dfrac{5}{8}$, $\dfrac{8}{13}$, $\boxed{\dfrac{13}{21}}$, $\dfrac{21}{34}$, $\dfrac{34}{55}$

⑥ $\dfrac{1}{3}$, $\dfrac{2}{4}$, $\dfrac{3}{6}$, $\dfrac{2}{9}$, $\dfrac{3}{13}$, $\dfrac{4}{18}$, $\dfrac{3}{24}$, $\dfrac{4}{31}$, $\dfrac{5}{39}$, $\boxed{\dfrac{4}{48}}$, $\dfrac{5}{58}$

⑦ $\dfrac{1}{1}$, $\dfrac{2}{1}$, $\dfrac{2}{2}$, $\dfrac{3}{1}$, $\dfrac{3}{2}$, $\dfrac{3}{3}$, $\boxed{\dfrac{4}{1}}$, $\dfrac{4}{2}$, $\dfrac{4}{3}$

⑧ $\dfrac{1}{1}$, $\dfrac{1}{2}$, $\dfrac{2}{1}$, $\dfrac{3}{1}$, $\dfrac{2}{2}$, $\dfrac{1}{3}$, $\dfrac{1}{4}$, $\dfrac{2}{3}$, $\dfrac{3}{2}$, $\dfrac{4}{1}$, $\boxed{\dfrac{5}{1}}$, $\dfrac{4}{2}$

분수를 고쳐 푸는 수열

✏️ 분수로 만든 수열입니다. ☐ 안에 알맞은 수를 써넣으세요.

$$\frac{1}{5}, \quad \frac{4}{5}, \quad 1\frac{2}{5}, \quad 2, \quad 2\frac{3}{5}, \quad 3\frac{1}{5}, \quad 3\frac{4}{5}, \quad \boxed{4\frac{2}{5}}$$

$$\frac{7}{5} \qquad \frac{10}{5} \qquad \frac{13}{5} \qquad \frac{16}{5} \qquad \frac{19}{5}$$

대분수, 자연수를 가분수로 고친 후 수열을 나열하면

$$\frac{1}{5}, \frac{4}{5}, \frac{7}{5}, \frac{10}{5}, \frac{13}{5}, \frac{16}{5}, \frac{19}{5}, \frac{22}{5}$$

따라서 $\frac{22}{5} = 4\frac{2}{5}$ 입니다.

마지막에 답을 쓸 때에는 다른 수들과 모양이 같도록 대분수로 다시 고쳐야 해.

❶ $2, \quad 3\frac{1}{4}, \quad 4\frac{2}{4}, \quad 5\frac{3}{4}, \quad 7, \quad 8\frac{1}{4}, \quad 9\frac{2}{4}, \quad \boxed{}$

❷ $\frac{7}{9}, \quad 1\frac{5}{9}, \quad 2\frac{3}{9}, \quad 3\frac{1}{9}, \quad 3\frac{8}{9}, \quad 4\frac{6}{9}, \quad 5\frac{4}{9} \quad \boxed{}$

❸ $\frac{4}{5}, \quad 1\frac{3}{5}, \quad 2\frac{2}{5}, \quad 3\frac{1}{5}, \quad 4, \quad \boxed{}, \quad 5\frac{3}{5}, \quad 6\frac{2}{5}$

④ $\dfrac{3}{13}$, $\dfrac{4}{13}$, $\dfrac{6}{13}$, $\dfrac{9}{13}$, 1, $1\dfrac{5}{13}$, $1\dfrac{11}{13}$, ☐

⑤ $\dfrac{2}{9}$, $\dfrac{5}{9}$, $1\dfrac{1}{9}$, $1\dfrac{8}{9}$, $2\dfrac{8}{9}$, $4\dfrac{1}{9}$, $5\dfrac{5}{9}$, ☐

⑥ $\dfrac{1}{6}$, $\dfrac{3}{6}$, 1, $1\dfrac{4}{6}$, $2\dfrac{3}{6}$, $3\dfrac{3}{6}$, ☐, 6

⑦ $\dfrac{6}{10}$, $\dfrac{8}{10}$, $1\dfrac{2}{10}$, $1\dfrac{4}{10}$, $1\dfrac{8}{10}$, 2, $2\dfrac{4}{10}$, ☐

⑧ $\dfrac{1}{8}$, $\dfrac{2}{8}$, $\dfrac{3}{8}$, $\dfrac{5}{8}$, 1, $1\dfrac{5}{8}$, $2\dfrac{5}{8}$, ☐

✏️ 분수로 만든 수열입니다. ☐ 안에 알맞은 수를 써넣으세요.

① $\dfrac{5}{3}$, $\dfrac{10}{6}$, $\dfrac{15}{12}$, $\dfrac{20}{24}$, $\dfrac{25}{48}$, $\dfrac{30}{96}$, ☐

② $\dfrac{3}{5}$, $\dfrac{7}{6}$, $\dfrac{11}{9}$, $\dfrac{15}{14}$, $\dfrac{19}{21}$, $\dfrac{23}{30}$, ☐

③ $\dfrac{1}{1}$, $\dfrac{1}{2}$, $\dfrac{2}{2}$, $\dfrac{1}{3}$, $\dfrac{2}{3}$, $\dfrac{3}{3}$, $\dfrac{1}{4}$, $\dfrac{2}{4}$, $\dfrac{3}{4}$, ☐

✏️ 분수로 만든 수열입니다. ☐ 안에 알맞은 수를 써넣으세요.

④ $\dfrac{4}{6}$, $1\dfrac{2}{6}$, 2 , $2\dfrac{4}{6}$, $3\dfrac{2}{6}$, 4 , $4\dfrac{4}{6}$, $5\dfrac{2}{6}$, 6 , ☐

⑤ $\dfrac{2}{8}$, $\dfrac{4}{8}$, $\dfrac{7}{8}$, $1\dfrac{3}{8}$, 2 , $2\dfrac{6}{8}$, $3\dfrac{5}{8}$, $4\dfrac{5}{8}$, $5\dfrac{6}{8}$, ☐

마무리 평가

마무리 평가는 앞에서 공부한 4주차의 유형이 다음과 같은 순서로 나와요.
틀린 문제는 몇 주차인지 확인하여 반드시 다시 한 번 학습하도록 해요.

1주차	**3**주차
2주차	**4**주차

❖ 규칙을 찾아 빈 곳을 알맞게 완성하세요.

❶

❷

❖ 수열입니다. ☐ 안에 알맞은 수를 써넣으세요.

❸ 3,　7,　11,　15,　19　……

처음 수부터 **20**번째 수까지의 합:

❹ 1,　8,　15,　22,　29　……

처음 수부터 **15**번째 수까지의 합:

❖ 다음과 같은 규칙으로 수를 배열하였습니다. 물음에 답하세요.

㉠	㉡	㉢	㉣	㉤	㉥	㉦
1	2	3	4	5	6	7
14	13	12	11	10	9	8
15	16	17	18	19	20	21
28	27	26	25	24	23	22
29	30	31	32	33	34	35
⋮	⋮	⋮	⋮	⋮	⋮	⋮

❺ 91이 있는 줄의 기호는 무엇입니까?

❻ 132가 있는 줄의 기호는 무엇입니까?

❖ 분수로 만든 수열입니다. ☐ 안에 알맞은 수를 써넣으세요.

❼ $\dfrac{3}{10}$, $\dfrac{4}{10}$, $\dfrac{8}{10}$, $\dfrac{15}{10}$, $\dfrac{25}{10}$, $\dfrac{38}{10}$, $\dfrac{54}{10}$, ☐

❽ $\dfrac{9}{1}$, $\dfrac{9}{2}$, $\dfrac{9}{3}$, $\dfrac{9}{5}$, $\dfrac{9}{8}$, $\dfrac{9}{13}$, $\dfrac{9}{21}$, ☐

♣ 규칙에 따라 모양을 만든 것입니다. 6번째 모양에서 정사각형의 개수를 구해 보세요.

❶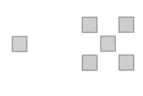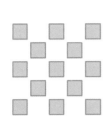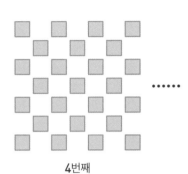

1번째　　　2번째　　　　3번째　　　　　　4번째

☐ 개

♣ 수열입니다. ☐ 안에 알맞은 수를 써넣으세요.

❷ 1,　　3,　　8,　　16,　　27,　　41,　　58,　　78,　　☐

❸ 1,　　2,　　6,　　12,　　16,　　32,　　36,　　72,　　☐ ,　　☐

❹ 1,　　2,　　13,　　6,　　25,　　18,　　37,　　54,　　☐ ,　　☐

◆ 다음과 같은 규칙으로 수를 배열하였습니다. 물음에 답하세요.

	1열	2열	3열	4열	……
1행	1	4	9	16	……
2행	2	3	8	15	……
3행	5	6	7	14	……
4행	10	11	12	13	……
⋮	⋮	⋮	⋮	⋮	⋱

⑤ 79는 몇 행 몇 열의 수입니까?

⑥ 85는 몇 행 몇 열의 수입니까?

◆ 분수로 만든 수열입니다. □ 안에 알맞은 수를 써넣으세요.

⑦ $\dfrac{3}{2}$, $\dfrac{5}{4}$, $\dfrac{9}{8}$, $\dfrac{15}{16}$, $\dfrac{23}{32}$, $\dfrac{33}{64}$, ☐

⑧ $\dfrac{1}{2}$, $\dfrac{1}{5}$, $\dfrac{3}{6}$, $\dfrac{1}{9}$, $\dfrac{3}{10}$, $\dfrac{5}{13}$, $\dfrac{1}{14}$, $\dfrac{3}{17}$, $\dfrac{5}{18}$, $\dfrac{7}{21}$, ☐

♣ 삼중 패턴을 만들고 있습니다. 규칙을 찾아 빈칸을 알맞게 색칠하세요.

❶

❷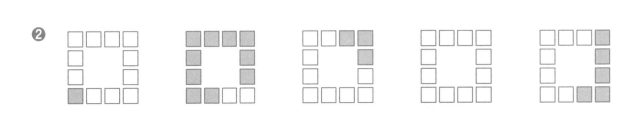

♣ 수열입니다. ☐ 안에 알맞은 수를 써넣으세요.

35번째

❸ 3, 3, 6, 3, 6, 9, 3, 6, 9, 12, 3, 6, 9, 12, 15, 3 ······ ☐

45번째

❹ 1, 1, 3, 1, 1, 3, 5, 3, 1, 1, 3, 5, 7, 5, 3, 1 ······ ☐

❖ 다음과 같은 규칙으로 수를 배열하였습니다. 물음에 답하세요.

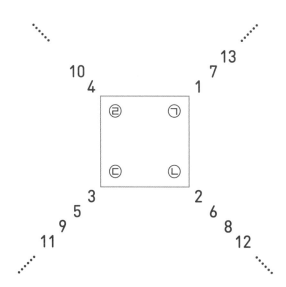

❺ **49**가 있는 줄의 기호는 무엇입니까?

❻ **77**이 있는 줄의 기호는 무엇입니까?

❖ 규칙에 맞게 분수 수열을 완성하세요.

❼
> 분자: **2, 4, 6**이 반복됩니다.
> 분모: 더하는 수가 **2**부터 **2**씩 커집니다.

$$\frac{2}{10}, \quad \frac{4}{12}, \quad \frac{6}{16}, \quad \frac{2}{22}, \quad \boxed{}, \quad \boxed{}, \quad \boxed{}$$

❽
> 분자: **3**의 단 곱셈구구 결과를 일의 자리 숫자만 나열합니다.
> 분모: **+2, +5**를 반복하여 계산합니다.

$$\frac{3}{7}, \quad \frac{6}{9}, \quad \frac{9}{14}, \quad \frac{2}{16}, \quad \boxed{}, \quad \boxed{}, \quad \boxed{}$$

✤ 바둑돌을 규칙에 따라 늘어놓았습니다. 10번째 모양에서 검은색 바둑돌과 흰색 바둑돌 중 개수가 많은 것에 ◯표 하고, ☐ 안에 알맞은 수를 써넣으세요.

❶

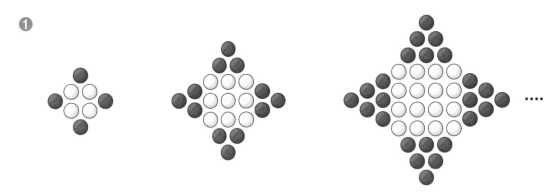

1번째   2번째   3번째

(검은색 , 흰색) 바둑돌이 ☐ 개 더 많습니다.

✤ 수열입니다. ☐ 안에 알맞은 수를 써넣으세요.

48번째

❷ 7, 5, 1, 3, 4, 7, 5, 1, 3, 4, 7, 5, 1, 3 ······ ☐

55번째

❸ 4, 7, 10, 13, 16, 19 ······ ☐

27번째

❹ 70, 68, 66, 64, 62, 60 ······ ☐

❖ 다음과 같은 규칙으로 수를 배열하였습니다. 물음에 답하세요.

	1열	2열	3열	4열	......
1행	1	2	5	10	......
2행	4	3	6	11	......
3행	9	8	7	12	......
4행	16	15	14	13	......
⋮	⋮	⋮	⋮	⋮	⋱

❺ 12행 4열의 수는 무엇입니까?

❻ 3행 9열의 수는 무엇입니까?

❖ 분수로 만든 수열입니다. ☐ 안에 알맞은 수를 써넣으세요.

❼ $\dfrac{2}{2}$, $\dfrac{8}{5}$, $\dfrac{14}{10}$, $\dfrac{20}{17}$, ☐, $\dfrac{32}{37}$, $\dfrac{38}{50}$, $\dfrac{44}{65}$

❽ $\dfrac{1}{1}$, $\dfrac{1}{2}$, $\dfrac{2}{2}$, $\dfrac{1}{3}$, $\dfrac{2}{3}$, $\dfrac{3}{3}$, $\dfrac{1}{4}$, ☐, $\dfrac{3}{4}$, $\dfrac{4}{4}$

🔹 규칙을 찾아 빈 곳에 알맞은 모양을 그려 보세요.

❶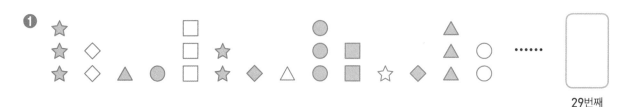

29번째

❷

33번째

🔹 더하는 수가 일정하게 커지는 수열의 ■번째 수를 구하려고 합니다. ☐ 안에 알맞은 수를 써넣으세요.

20번째

❸  5, 6, 8, 11, 15 ⋯⋯ ☐

15번째

❹ 1, 4, 10, 19, 31 ⋯⋯ ☐

❖ 다음과 같은 순서로 피아노를 치고 있습니다. 물음에 답하세요.

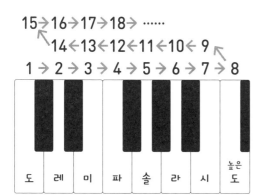

❺ 96번째 치게 되는 건반은 무엇입니까?

❻ 150번째 치게 되는 건반은 무엇입니까?

❖ 분수로 만든 수열입니다. ☐ 안에 알맞은 수를 써넣으세요.

❼ $\dfrac{10}{12}$, $1\dfrac{8}{12}$, $2\dfrac{6}{12}$, $3\dfrac{4}{12}$, $4\dfrac{2}{12}$, 5, $5\dfrac{10}{12}$, ☐

❽ $\dfrac{1}{5}$, $\dfrac{3}{5}$, $\dfrac{4}{5}$, $1\dfrac{2}{5}$, $2\dfrac{1}{5}$, $3\dfrac{3}{5}$, $5\dfrac{4}{5}$, ☐

pensées

'사고력수학의 시작'

팡세

pensées

D1

정답과 풀이

사고가 자라는 수학
씨투엠

지식과상상 연구소 ^{since 2013}

대표 한헌조, 연구소장 김성국

(창의적인 **생각**) (재미 가득 **활동**) (의미 있는 **지식**) (자유로운 **상상**) 을

수학이라는 그릇에 아름답게 담아내겠습니다.

교구 프로그램

- 우리 아이 첫 번째 선물 **아토**
- 유아 수학 7대 지능 프로그램 **마테킨더**
- 유아 창의사고력 활동 수학 프로그램 **씨투엠키즈**
- 초등 창의사고력 수학 교구 프로그램 **씨투엠클래스**
- 초등 교과 창의 보드게임 **초등 수학 교구 상자**
- 사고가 자라는 수학 **매쓰업**
- 3D 두뇌 트레이닝 **지오플릭**
- 생각을 감는 두뇌회전 놀이 **릴브레인**

교재 시리즈

- 공간 감각을 위한 하루 10분 도형 학습지 **플라토**
- 실전 사고력 수학 프로그램 **씨투엠RAT**
- 하루 10분 서술형/문장제 학습지 **수학독해**
- 상위권으로 가는 문제해결 연산 학습지 **응용연산**
- 사고력수학의 시작 **팡세**

수학으로 하나되는 무한 상상공간 필즈엠 카페

| 필즈엠 ▼ |

http://cafe.naver.com/fieldsm

필즈엠 카페는 최신 교육정보 및 다양한 학습자료를 자유롭게 공유하는 열린 공간입니다.

1. 답안지 분실 시 다운로드
2. 교구 활동지 다운로드
3. 연령별 학습 커리큘럼 제안
4. 교육 모임
5. 영상 학습자료 지원

'사고력수학의 시작'

유형

D1
정답과 풀이

1주차 패턴

DAY 1

회전 이동 패턴

✒ 규칙을 찾아 빈 곳을 알맞게 완성하세요.

↘ 방향으로 2칸씩 이동하면서 1칸씩 늘어나도록 색칠합니다.

색칠된 칸이 이동하거나 늘어나는 규칙을 찾아봐.

①

↘ 방향으로 2칸, 3칸, 4칸 ...... 씩 이동하면서 2칸씩 색칠합니다.

②

↘ 방향으로 2칸, 3칸, 4칸 ...... 씩 이동하면서 1칸씩 늘어나도록 색칠합니다.

③

↘ 방향으로 2칸씩 이동하면서 1칸씩 늘어나도록 색칠합니다.

④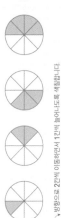

● ● 모양은 ↗ 방향으로 1칸씩 이동하고, ■ 모양은 ↗ 방향으로 1칸, 2칸, 3칸 ...... 씩 이동합니다.

⑤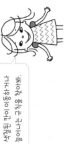

● ● 모양은 ↗ 방향으로 1칸, 2칸, 3칸 ...... 씩 이동하고, ■ 모양은 ↘ 방향으로 2칸, 4칸, 6칸 ...... 씩 이동합니다.

⑥

● ● 모양은 ↗ 방향으로 1칸, 2칸, 3칸 ...... 씩 이동하고, ■ 모양은 ↘ 방향으로 3칸 ...... 씩 이동합니다.

⑦

● ● 모양은 ↗ 방향으로 2칸, 3칸, 4칸 ...... 씩 이동하고, ■ 모양은 ↘ 방향으로 1칸, 2칸, 3칸 ...... 씩 이동합니다.

③
패턴1: 색칠된 칸이 1개씩 늘어납니다.
패턴2: 색칠된 칸이 ↗방향으로 1칸, 2칸, 3칸 ……씩 회전합니다.
패턴3: 짝수 번째는 색이 반전됩니다.

④
패턴1: 색칠된 칸이 2개씩 늘어납니다.
패턴2: 색칠된 칸이 ↗방향으로 1칸씩 회전합니다.
패턴3: 짝수 번째는 색이 반전됩니다.

⑤
패턴1: 색칠된 칸이 1개씩 늘어납니다.
패턴2: 색칠된 칸이 ↖방향으로 2칸씩 회전합니다.
패턴3: 짝수 번째는 색이 반전됩니다.

⑥
패턴1: 색칠된 칸이 2개씩 늘어납니다.
패턴2: 색칠된 칸이 ↘방향으로 1칸, 2칸, 3칸 ……씩 회전합니다.
패턴3: 짝수 번째는 색이 반전됩니다.

DAY 2

회전 삼중 패턴

▨ 삼중 패턴을 만들고 있습니다. 규칙을 찾아 빈칸을 알맞게 색칠하세요.

패턴1: 색칠된 칸이 1개씩 늘어납니다.
패턴2: 색칠된 칸이 ↘방향으로 1칸씩 회전합니다.
패턴3: 짝수 번째는 색이 반전됩니다.

세 가지 규칙이 있는 패턴이야.
그중 하나는 반전되는 규칙이야.

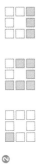

①
패턴1: 색칠된 칸이 1개씩 늘어납니다.
패턴2: 색칠된 칸이 ↘방향으로 2칸씩 회전합니다.
패턴3: 짝수 번째는 색이 반전됩니다.

②
패턴1: 색칠된 칸이 1개씩 늘어납니다.
패턴2: 색칠된 칸이 ↘방향으로 1칸, 2칸, 3칸 ……씩 회전합니다.
패턴3: 짝수 번째는 색이 반전됩니다.

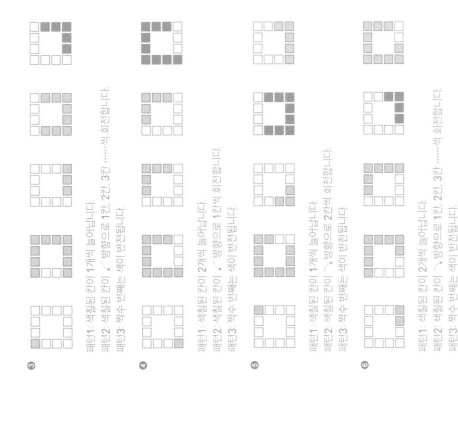

pensées

DAY 3

모양 삼총사 패턴

✏️ 규칙을 찾아 빈 곳을 알맞게 완성하세요.

①

20번째

색깔: 마디가 2개이므로 20÷2=10…0, 마지막(두 번째) 색깔인 흰색과 같습니다.
모양: 마디가 3개이므로 20÷3=6…2, 두 번째 모양인 □와 같습니다.
개수: 마디가 4개이므로 20÷4=5…0, 마지막(네 번째) 개수인 3개와 같습니다.

색깔, 모양, 개수별로 규칙을 따로 생각해 봐.

②

23번째

색깔: 마디가 2개이므로 23÷2=11…1, 첫 번째 색깔인 파란색과 같습니다.
모양: 마디가 4개이므로 23÷4=5…3, 세 번째 모양인 △와 같습니다.
개수: 마디가 5개이므로 23÷5=4…3, 세 번째 개수인 3개와 같습니다.

26번째

색깔: 마디가 2개이므로 26÷2=13…0, 마지막(두 번째) 색깔인 파란색과 같습니다.
모양: 마디가 3개이므로 26÷3=8…2, 두 번째 모양인 ☆와 같습니다.
개수: 마디가 5개이므로 26÷5=5…1, 첫 번째 개수인 1개와 같습니다.

문제 D1 패턴

---

③

30번째

색깔: 마디가 3개이므로 30÷3=10…0, 마지막(세 번째) 색깔인 파란색과 같습니다.
모양: 마디가 4개이므로 30÷4=7…2, 두 번째 모양인 □와 같습니다.
개수: 마디가 5개이므로 30÷5=6…0, 마지막(다섯 번째) 개수인 3개와 같습니다.

④

33번째

색깔: 마디가 4개이므로 33÷4=8…1, 첫 번째 색깔인 흰색과 같습니다.
모양: 마디가 5개이므로 33÷5=6…3, 세 번째 모양인 ◇와 같습니다.
개수: 마디가 3개이므로 33÷3=11…0, 마지막(세 번째) 개수인 3개와 같습니다.

⑤

35번째

색깔: 마디가 3개이므로 35÷3=11…2, 두 번째 색깔인 파란색과 같습니다.
모양: 마디가 4개이므로 35÷4=8…3, 세 번째 모양인 ☆와 같습니다.
개수: 마디가 6개이므로 35÷6=5…5, 다섯 번째 개수인 1개와 같습니다.

⑥

38번째

색깔: 마디가 2개이므로 38÷2=19…0, 마지막(두 번째) 색깔인 파란색과 같습니다.
모양: 마디가 5개이므로 38÷5=7…3, 세 번째 모양인 △와 같습니다.
개수: 마디가 6개이므로 38÷6=6…2, 두 번째 개수인 2개와 같습니다.

□번째 모양의 개수

◆ 규칙에 따라 모양을 만든 것입니다. 물음에 답하세요.

파란색 선의 개수
1번째 1 2번째 3 3번째 9

5번째 모양에서 파란색 선의 개수는?

파란색 선의 개수는 바로 앞의 모양의 파란색 선의 개수의 3배입니다.
1, 3, 9, 27, 81

81 개

(말풍선) 이야! 같은 모양을 프랙탈 나무라고 해. 프랙탈은 부분과 전체가 모양이 닮은 것을 뜻한다.

정사각형의 개수
1번째 4 2번째 7 3번째 10

10번째 모양에서 정사각형의 개수는?

처음 수는 4이고 3씩 늘어납니다. 따라서 10번째 모양의 정사각형의 개수는
$4+(3×9)=31$(개)입니다.

31 개

---

②
원의 개수 1번째 1 2번째 1+4 3번째 1+4+8 4번째 1+4+8+12

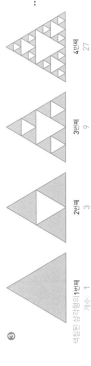

7번째 모양에서 원의 개수는?

더하는 수가 4씩 증가하므로 7번째 모양에서 원의 개수는
$1+4+8+12+16+20+24=85$(개)입니다.

85 개

③
색칠된 삼각형의 개수 1번째 1 2번째 3 3번째 9 4번째 27

6번째 모양에서 색칠된 삼각형의 개수는?

색칠된 삼각형의 개수는 바로 앞의 모양의 색칠된 삼각형의 개수의 3배입니다.
1, 3, 9, 27, 81, 243이므로 6번째 모양에서 색칠된 삼각형의 개수는 243개입니다.

243 개

(말풍선) 이와 같은 과정을 무한히 반복하여 만든 도형을 시에핀스키 삼각형이라고 해.

1주차 패턴

DAY 5 바둑돌 개수의 차

바둑돌을 규칙에 따라 늘어놓았습니다. 10번째 모양에서 검은색 바둑돌과 흰색 바둑돌 중 개수가 많은 것에 ○표 하고, □ 안에 알맞은 수를 써넣으세요.

> 검은색, 흰색 바둑돌의 개수의 규칙을 각각 찾아봐.

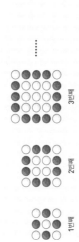

1번째 / 2번째 / 3번째

모양	1번째	2번째	3번째	⋯	10번째
검은색 바둑돌	1×4	2×4	3×4	⋯	10×4
흰색 바둑돌	1×1+4	2×2+4	3×3+4	⋯	10×10+4

(검은색 , (흰색)) 바둑돌이 $\boxed{64}$ 개 더 많습니다.

10번째 모양에서 검은색 바둑돌은 $10×4=40$(개), 흰색 바둑돌은 $10×10+4=104$(개)이므로 흰색 바둑돌이 $104-40=64$(개) 더 많습니다.

---

①

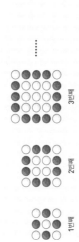

1번째 / 2번째 / 3번째

모양	1번째	2번째	3번째	⋯	10번째
검은색 바둑돌	2+2+3	3+3+4	4+4+5	⋯	11+11+12
흰색 바둑돌	1+2	1+2+3	1+2+3+4	⋯	1+2+3+⋯+11

(검은색 , (흰색)) 바둑돌이 $\boxed{32}$ 개 더 많습니다.

10번째 모양에서 검은색 바둑돌은 $11+11+12=34$(개), 흰색 바둑돌은 $1+2+3+⋯+11=66$(개)이므로 흰색 바둑돌이 $66-34=32$(개) 더 많습니다.

---

②

1번째 / 2번째 / 3번째

모양	1번째	2번째	3번째	⋯	10번째
검은색 바둑돌	3	3+6	3+6+9	⋯	3+6+9+⋯+30
흰색 바둑돌	2×2	3×3	4×4	⋯	11×11

((검은색) , 흰색) 바둑돌이 $\boxed{44}$ 개 더 많습니다.

10번째 모양에서 검은색 바둑돌은 $3+6+9+⋯+30=(3+30)×5=165$(개), 흰색 바둑돌은 $11×11=121$(개)이므로 검은색 바둑돌이 $165-121=44$(개) 더 많습니다.

---

③

1번째 / 2번째 / 3번째

모양	1번째	2번째	3번째	⋯	9번째	10번째
검은색 바둑돌	1	1+6	1+6	⋯	1+6+10+14+18	1+6+10+14+18+22
흰색 바둑돌	4+8	4+8+12	4+8+12+16+18	⋯	4+8+12+16+20	4+8+12+16+20

((검은색) , 흰색) 바둑돌이 $\boxed{11}$ 개 더 많습니다.

10번째 모양에서 검은색 바둑돌은 $1+6+10+14+18+22=71$(개), 흰색 바둑돌은 $4+8+12+16+20=60$(개)이므로 검은색 바둑돌이 $71-60=11$(개) 더 많습니다.

확인학습

규칙을 찾아 빈 곳을 알맞게 완성하세요.

① ☆ ☆ △ ▲ ◇ ○ …
　 △ ▲ ◇ □ ○ ☆
　 ☆ ● ○ ● ◆ ◇
　 ● ○

색깔: 마디가 3개이므로 28÷3=9…1, 첫 번째 색깔인 파란색과 같습니다.
모양: 마디가 5개이므로 28÷5=5…3, 세 번째 모양인 △과 같습니다.
개수: 마디가 2개이므로 28÷2=14…0, 마지막(두 번째) 개수인 2개와 같습니다.

28번째 　◀◀

② ◆ ◆ ☆ ☆ ◇ …
　 ★ ☆ △ ▲ ◇ ◇
　 ★ ☆ ▲ ◇ ◇
　 △ △ ▲ ◆ ★

색깔: 마디가 4개이므로 33÷4=8…1, 첫 번째 색깔인 흰색과 같습니다.
모양: 마디가 3개이므로 33÷3=11…0, 마지막(세 번째) 모양인 ☆과 같습니다.
개수: 마디가 6개이므로 33÷6=5…3, 세 번째 개수인 3개와 같습니다.

33번째 　☆☆☆

---

③ 바둑돌을 규칙에 따라 놓아왔습니다. 10번째 모양에서 검은색 바둑돌과 흰색 바둑돌 중 개수가 많은 것에 ○표 하고, □ 안에 알맞은 수를 써넣으세요.

1번째　2번째　3번째　4번째　…

모양	1번째	2번째	3번째	4번째	……	10번째
검은색 바둑돌	1	3	5	7	……	19
흰색 바둑돌	0	1	1+3	1+3+5	……	1+3+5+……+17

(검은색 , 흰색) 바둑돌이 62 개 더 많습니다.

10번째 모양에서 검은색 바둑돌은 19개, 흰색 바둑돌은 1+3+5+……+17=81(개)
이므로 흰색 바둑돌이 81−19=62(개) 더 많습니다.

2주차 여러 가지 수열과 합

DAY 1 여러 가지 수열

✎ 수열입니다. □ 안에 알맞은 수를 써넣으세요.

❶ 3, 2, 9, 3, 2, 9, 3, 2, 9, 3, [2]
3, 2, 9가 반복됩니다.

❷ 5, 12, 19, 26, 33, 40, 47, [54]
7씩 커집니다.

❸ 76, 68, 60, 52, 44, 36, 28, [20]
8씩 작아집니다.

❹ 3, 6, 12, 24, 48, 96, [192]
2씩 곱합니다.

❺ 3, 4, 8, 15, 25, 38, 54, 73, [95]
더하는 수가 1부터 3씩 커집니다.

❻ 80, 78, 74, 68, 60, 50, 38, 24, [8]
빼는 수가 2부터 2씩 커집니다.

❼ 4, 6, 10, 18, 34, 66, [130]
더하는 수가 2부터 2배씩 늘어납니다.

❽ 3, 7, 14, 18, 25, 29, 36, 40, 47, [51]
+4, +7을 반복하며 계산합니다.

❾ 1, 4, 8, 11, 22, 25, 50, 53, [106]
+3, ×2를 반복하며 계산합니다.

❿ 89, 55, 34, 21, 13, 8, 5, [3]
바로 앞의 두 수의 차가 그 다음 수입니다.

⓫ 1, 9, 8, 13, 15, 17, 22, 21, [29], [25]
(+7, +4, +7, +4, +7, +4, +7, +4)

⓬ 3, 2, 9, 4, 15, 8, 21, 16, [27], [32]
(+6, ×2, +6, ×2, +6, ×2, +6, ×2)

pensées

여러 가지 수열의 □번째 수

◈ 수열입니다. ☐ 안에 알맞은 수를 써넣으세요.

2, 4, 5, 7, 2, 4, 5, 7, 2, 4, 5 ······ <u>4</u> 50번째

2, 4, 5, 7 네 개의 수가 반복됩니다.
50÷4=12···2이므로 50번째 수는 두 번째 수인 4와 같습니다.

1, 4, 7, 10, 13, 16, 19, 22, 25 ······ <u>148</u> 50번째

처음 수는 1, 더하는 수는 3입니다.
50번째 수는 10에서 3을
49번 더한 수와 같으므로
1+(3×49)=1+147=148입니다.

더하는 수가 일정한 수열의 ■번째 수:
(처음 수)+{(더하는 수)×(■ − 1)}

❶ 6, 3, 1, 4, 6, 3, 1, 4, 6, 3, 1, 4, 6, 3 ······ <u>4</u> 60번째

6, 3, 1, 4 네 개의 수가 반복됩니다.
60÷4=15···0이므로 60번째 수는 마지막(네 번째) 수인 4와 같습니다.

❷ 8, 5, 1, 2, 4, 8, 5, 1, 2, 4, 8, 5, 1, 2 ······ <u>2</u> 64번째

8, 5, 1, 2, 4 다섯 개의 수가 반복됩니다.
64÷5=12···4이므로 64번째 수는 네 번째 수인 2와 같습니다.

❸ 3, 5, 7, 9, 11, 13, 15 ······ <u>61</u> 30번째

처음 수는 3, 더하는 수는 2입니다.
30번째 수는 3에서 2를 29번 더한 수와 같으므로
3+(2×29)=3+58=61입니다.

❹ 6, 14, 22, 30, 38, 46, 54 ······ <u>358</u> 45번째

처음 수는 6, 더하는 수는 8입니다.
45번째 수는 6에서 8을 44번 더한 수와 같으므로
6+(8×44)=6+352=358입니다.

❺ 13, 19, 25, 31, 37, 43, 49 ······ <u>427</u> 70번째

처음 수는 13, 더하는 수는 6입니다.
70번째 수는 13에서 6을 69번 더한 수와 같으므로
13+(6×69)=13+414=427입니다.

❻ 80, 77, 74, 71, 68, 65, 62 ······ <u>23</u> 20번째

처음 수는 80, 빼는 수는 3입니다.
20번째 수는 80에서 3을 19번 뺀 수와 같으므로
80−(3×19)=80−57=23입니다.

❼ 150, 146, 142, 138, 134, 130 ······ <u>26</u> 32번째

처음 수는 150, 빼는 수는 4입니다.
32번째 수는 150에서 4를 31번 뺀 수와 같으므로
150−(4×31)=150−124=26입니다.

빼는 수가 일정한 수열의
■번째 수도 더하는 수가
일정한 수열과 같은 방법으로
구하면 돼.

DAY 3

더하는 수가 일정한 수열의 합

◆ 수열입니다. □ 안에 알맞은 수를 써넣으세요.

2, 6, 10, 14, 18 ......

처음 수부터 7번째 수까지의 합: 98

$2 + 6 + 10 + 14 + 18 + 22 + 26$ ← 6번째 수는 22, 7번째 수는 26입니다.
$+ 26 + 22 + 18 + 14 + 10 + 6 + 2$ ← 7번째 수부터 거꾸로 더합니다.
$28 + 28 + 28 + 28 + 28 + 28 + 28 = 28×7 = 196$

(처음 수 + 마지막 수)
수열의 수의 개수

따라서 처음 수부터 7번째 수까지의 합은 196÷2=98입니다.
수열을 두 번 더한 것이므로 2로 나누어야 합니다.

더하는 수가 일정한 수열의 합:
{(처음 수 + 마지막 수) × (수의 개수)} ÷ 2

❶ 1, 3, 5, 7, 9 ......

처음 수부터 7번째 수까지의 합: 49

6번째 수는 11, 7번째 수는 13입니다.
따라서 처음 수는 1, 마지막 수는 13, 수의 개수는 7개이므로
(1+13)×7÷2=49

❷ 4, 7, 10, 13, 16 ......

처음 수부터 8번째 수까지의 합: 116

6번째 수는 19, 7번째 수는 22, 8번째 수는 25입니다.
따라서 처음 수는 4, 마지막 수는 25, 수의 개수는 8개이므로
(4+25)×8÷2=116

❸ 9, 11, 13, 15, 17 ......

처음 수부터 20번째 수까지의 합: 560

처음 수는 9, 더하는 수는 2이므로 20번째 수는 9+(2×19)=47입니다.
따라서 처음 수는 9, 마지막 수는 47, 수의 개수는 20개이므로
(9+47)×20÷2=560

❹ 2, 8, 14, 20, 26 ......

처음 수부터 20번째 수까지의 합: 1180

처음 수는 2, 더하는 수는 6이므로 20번째 수는 2+(6×19)=116입니다.
따라서 처음 수는 2, 마지막 수는 116, 수의 개수는 20개이므로
(2+116)×20÷2=1180

❺ 3, 11, 19, 27, 35 ......

처음 수부터 25번째 수까지의 합: 2475

처음 수는 3, 더하는 수는 8이므로 25번째 수는 3+(8×24)=195입니다.
따라서 처음 수는 3, 마지막 수는 195, 수의 개수는 25개이므로
(3+195)×25÷2=2475

❻ 70, 68, 66, 64, 62 ......

처음 수부터 30번째 수까지의 합: 1230

처음 수는 70, 빼는 수는 2이므로 30번째 수는 70-(2×29)=12입니다.
따라서 처음 수는 70, 마지막 수는 12, 수의 개수는 30개이므로
(70+12)×30÷2=1230

❼ 100, 97, 94, 91, 88 ......

처음 수부터 30번째 수까지의 합: 1695

처음 수는 100, 빼는 수는 3이므로 30번째 수는 100-(3×29)=13입니다.
따라서 처음 수는 100, 마지막 수는 13, 수의 개수는 30개이므로
(100+13)×30÷2=1695

DAY 4

더하는 수가 일정하게 커지는 수열의 □번째 수

더하는 수가 일정하게 커지는 수열의 ■번째 수를 구하려고 합니다. □ 안에 알맞은 수를 써넣으세요.

3, 4, 6, 9, 13 ······ 48

1번째 수: 3
2번째 수: 4 → 3+1
3번째 수: 6 → 3+(1+2)
4번째 수: 9 → 3+(1+2+3)
5번째 수: 13 → 3+(1+2+3+ 4)
······
10번째 수: → 3+(1+2+3+······+ 9)=3+ 45 = 48

=(1+9)×9÷2=45
더하는 수가 9개임에 주의합니다.

더하는 수로 세울게 나타낸 수열 1, 2, 3, 4, 5 ······ 9의 합을 이용하여 처음 수열의 10번째 수를 구해.

1부터 9까지 9개의 합

❶ 1, 3, 7, 13, 21 ······ 91

6번째 수: 1+(2+4+6+8+ 10)
7번째 수: 1+(2+4+6+8+ 10 + 12)
10번째 수: 1+(2+4+6+8+······+ 18)= 91

9개

① 더하는 수는 9개이므로 9번째로 더하는 수는 2+(2×8)=18입니다.
② 2부터 18까지 9개의 수의 합은 (2+18)×9÷2=90입니다.
③ 따라서 10번째 수는 1+90=91입니다.

Pensées

❷ 4, 5, 8, 13, 20 ······ 200

15번째 수: 4+(1+3+5+7+······+ 27)= 200

① 더하는 수는 14개이므로 14번째로 더하는 수는 1+(2×13)=27입니다.
② 1부터 27까지 14개 수의 합은 (1+27)×14÷2=196입니다.
③ 따라서 15번째 수는 4+196=200입니다.

❸ 3, 5, 10, 18, 29 ······ 304

15번째 수: 3+(2+5+8+11+······+ 41)= 304

① 더하는 수는 14개이므로 14번째로 더하는 수는 2+(3×13)=41입니다.
② 2부터 41까지 14개 수의 합은 (2+41)×14÷2=301입니다.
③ 따라서 15번째 수는 3+301=304입니다.

❹ 2, 3, 7, 14, 24 ······ 534

① 더하는 수는 19개이므로 19번째로 더하는 수는 1+(3×18)=55입니다.
② 1부터 55까지 19개 수의 합은 (1+55)×19÷2=532입니다.
③ 따라서 20번째 수는 2+532=534입니다.

❺ 3, 4, 9, 18, 31 ······ 1131

① 더하는 수는 24개이므로 24번째로 더하는 수는 1+(4×23)=93입니다.
② 1부터 93까지 24개 수의 합은 (1+93)×24÷2=1128입니다.
③ 따라서 25번째 수는 3+1128=1131입니다.

24   발제 D1 패턴

2주 여러 가지 수열과 합   25

DAY 5

묶음수열의 □번째 수

✎ 수열입니다. □ 안에 알맞은 수를 써넣으세요.

(1), (1, 2), (1, 2, 3), (1, 2, 3, 4), (1, 2, 3, 4, 5), 1 ······ [50번째] 5

괄호 안의 첫 번째 수는 항상 1이고, 괄호 안의 수의 개수는 1, 2, 3, 4 ······로 1개씩 늘어납니다.
9번째 묶음까지의 수의 개수는 1+2+3+4+······+9=45이므로
50번째 수는 10번째 묶음의 5번째 수입니다.
따라서 5입니다.

규칙을 찾을 수 있도록 괄호( )로 묶어 봐.

① (1), (2, 2), (3, 3, 3), (4, 4, 4, 4), (5, 5, 5, 5, 5) ······ [70번째] 12

괄호 안의 수는 1, 2, 3, 4 ······이고, 괄호 안의 수의 개수는 수만큼 있습니다.
11번째 묶음까지의 수의 개수는 1+2+3+4+5+6+······+11=660이므로 70번째 수는 12번째 묶음의 수입니다. 따라서 12입니다.

② (1), (1, 3), (1, 3, 5), (1, 3, 5, 7), (1, 3, 5, 7, 9), 1 ······ [30번째] 3

괄호 안의 수는 1, 3, 5, 7 ······이고, 괄호 안의 수의 개수는 1, 2, 3, 4 ······로 1개씩 늘어납니다.
7번째 묶음까지의 수의 개수는 1+2+3+4+5+6+7=28이므로 30번째 수는 8번째 묶음의 2번째 수입니다. 따라서 3입니다.

③ (2), (2, 4), (2, 4, 6), (2, 4, 6, 8), (2, 4, 6, 8, 10), 2 ······ [40번째] 8

괄호 안의 첫 번째 수는 항상 2이고, 괄호 안의 수의 개수는 1, 2, 3, 4 ······로 1개씩 늘어납니다.
8번째 묶음까지의 수의 개수는 1+2+3+4+5+6+7+8=36이므로 40번째 수는 9번째 묶음의 4번째 수입니다. 따라서 8입니다.

④ (1), (2, 1), (3, 2, 1), (4, 3, 2, 1), (5, 4, 3, 2, 1), 6 ······ [60번째] 7

괄호 안의 첫 번째 수는 1, 2, 3 ······이고, 괄호 안의 수의 개수는 1, 2, 3, 4 ······로 1개씩 늘어납니다.
10번째 묶음까지의 수의 개수는 1+2+3+4+······+10=55이므로 60번째 수는
11번째 묶음의 5번째 수입니다.
11번째 묶음의 첫 번째 수는 11이므로 11, 10, 9, 8, 7 ······에서 5번째 수는 7입니다.

⑤ (2), (3, 4, 5), (4, 5, 6, 7), (5, 6, 7, 8, 9), 6 ······ [65번째] 20

괄호 안의 첫 번째 수는 1, 2, 3 ······이고, 괄호 안의 수의 개수는 1, 2, 3, 4 ······로 1개씩 늘어납니다.
10번째 묶음의 첫 번째 수는 10번째입니다.
11번째 묶음까지의 수의 개수는 1+2+3+4+······+10=55이므로 65번째 수는 20입니다.
11번째 묶음의 첫 번째 수는 11이므로 11, 12, 13 ······에서 10번째 수는 20입니다.

⑥ (1), (1, 2, 3), (1, 2, 3, 4, 5), (1, 2, 3, 4, 5, 6, 7) ······ [45번째] 9

괄호 안의 첫 번째 수는 1이고, 괄호 안의 수의 개수는 1, 3, 5, 7 ······로 2개씩 늘어납니다.
6번째 묶음까지의 수의 개수는 1+3+5+7+9+11=36이므로 45번째 수는 7번째 묶음의 9번째 수입니다.
따라서 9입니다.

⑦ (1), (1, 2, 3), (1, 2, 3, 4, 5), (1, 2, 3, 4, 3, 2, 1) ······ [33번째] 4

괄호 안의 첫 번째 수는 1이고, 괄호 안의 수의 개수는 1, 3, 5, 7 ······로 2개씩 늘어납니다.
5번째 묶음까지의 수의 개수는 1+3+5+7+9=25이므로 33번째 수는 6번째 묶음의 8번째 수입니다.
6번째 묶음의 첫 번째 수는 1이고, 6까지 커졌다 작아지므로 8번째 수는 4입니다.

확인학습

◆ 더하는 수가 일정하게 커지는 수열의 ■번째 수를 구하려고 합니다. ☐ 안에 알맞은 수를 써넣으세요.

❶ 2, 3, 6, 11, 18, …… 15번째 $\boxed{198}$

① 더하는 수는 14개이므로 14번째로 더하는 수는 1 + (2 × 13) = 27입니다.

② 1부터 27까지 14개 수의 합은 (1 + 27) × 14 ÷ 2 = 196입니다.

③ 따라서 15번째 수는 2 + 196 = 198입니다.

❷ 4, 6, 11, 19, 30, …… 20번째 $\boxed{555}$

① 더하는 수는 19개이므로 19번째로 더하는 수는 2 + (3 × 18) = 56입니다.

② 2부터 56까지 19개 수의 합은 (2 + 56) × 19 ÷ 2 = 551입니다.

③ 따라서 20번째 수는 4 + 551 = 555입니다.

◆ 수열입니다. ☐ 안에 알맞은 수를 써넣으세요.

❸ (1), (1, 2) (1, 2, 3) (1, 2, 3, 4) (1, 2, 3, 4, 5), 1 …… 90번째 $\boxed{12}$

괄호 안의 첫 번째 수는 항상 1이고, 괄호 안의 수의 개수는 1, 2, 3, 4, …… 로 1개씩 늘어납니다. 12번째 묶음까지의 수의 개수는 1 + 2 + 3 + 4 + …… + 12 = 78이므로 90번째 묶음의 수는 13번째 묶음의 수입니다. 따라서 12입니다.

❹ (1), (3, 3, 3) (5, 5, 5, 5, 5) (7, 7, 7, 7, 7, 7, 7) …… 50번째 $\boxed{15}$

괄호 안의 수는 1, 3, 5, 7 ……이고, 괄호 안의 수의 개수는 수만큼 있습니다. 7번째 묶음까지의 수의 개수는 1 + 3 + 5 + 7 + 9 + 11 + 13 = 49이므로 49번째 수는 7번째 묶음의 수인 13이고, 50번째 수는 8번째 묶음의 수인 15입니다.

3주차 배열의 규칙

DAY 1

수 배열

✏️ 다음과 같은 규칙으로 수를 배열하였습니다. 물음에 답하세요.

㉠	1	6	7	12	13	.....
㉡	2	5	8	11	14	.....
㉢	3	4	9	10	15	.....

26이 있는 줄의 기호는 무엇입니까?

수 6개가 하나씩 마디이므로 6으로 나누어 봅니다.

수의 위치	㉠	㉡	㉢
6으로 나눈 나머지	1	2	3
	0	5	4

26÷6=4…2이므로 26은 ㉡에 있습니다.

> 수가 ∩∩∩ 모양으로 배열되어 이어지는 묶여 있는 수 6개가 하나의 마디야.

㉠	1	8	9	16	17	.....
㉡	2	7	10	15	18	.....
㉢	3	6	11	14	19	.....
㉣	4	5	12	13	20	.....

① 52가 있는 줄의 기호는 무엇입니까?

수의 위치	㉠	㉡	㉢	㉣
8로 나눈 나머지	1	2	3	4
	0	7	6	5

52÷8=6…4이므로 52는 ㉣에 있습니다.

② 73이 있는 줄의 기호는 무엇입니까?

73÷8=9…1이므로 73은 ㉠에 있습니다.

㉠	1	2	3	4	5	.....
㉡	10	9	8	7	6	.....
㉢	11	12	13	14	15	.....
㉣	20	19	18	17	16	.....
㉤	21	22	23	24	25	.....

③ 59가 있는 줄의 기호는 무엇입니까?

수의 위치	㉠	㉡	㉢	㉣	㉤
10으로 나눈 나머지	1	2	3	4	5
	0	9	8	7	6

59÷10=5…9이므로 59는 ㉡에 있습니다.

④ 93이 있는 줄의 기호는 무엇입니까?

93÷10=9…3이므로 93은 ㉢에 있습니다.

㉠	1	2	3	4	5	6	.....
㉡	12	11	10	9	8	7	.....
㉢	13	14	15	16	17	18	.....
㉣	24	23	22	21	20	19	.....
㉤	25	26	27	28	29	30	.....

⑤ 85가 있는 줄의 기호는 무엇입니까?

수의 위치	㉠	㉡	㉢	㉣	㉤	㉥
12로 나눈 나머지	1	2	3	4	5	6
	0	11	10	9	8	7

85÷12=7…1이므로 85는 ㉠에 있습니다.

⑥ 102가 있는 줄의 기호는 무엇입니까?

102÷12=8…6이므로 102는 ㉥에 있습니다.

DAY 2 손가락 배열

다양한 방법으로 수를 배열하였습니다. 물음에 답하세요.

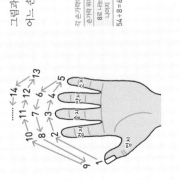

그림과 같이 수를 셀 때 **54**를 세는 손가락은 어느 손가락입니까?

[약지]

각 손가락이 세는 수는 8개씩 같은 위치에 반복됩니다.

손가락 위치	엄지	검지	중지	약지	소지
8로 나눈 나머지	1	2	3	4	5
	0			7	6

54÷8=6…6이므로 54는 약지로 셉니다.

네 사람이 다음과 같은 순서로 수 세기 놀이를 하고 있습니다.

```
      7 ← 8  ......
        ← 6 ← 5
1 → 2 → 3 → 4
영훈  나진  규민  애라
```

(엄지와 소지로 세는 수에 주의하면서 규칙을 찾아봐.)

각 사람이 말하는 수는 6개씩 같은 위치에 반복됩니다.

말하는 사람	영훈	나진	규민	애라
6으로 나눈 나머지	1	2	3	4
	0			5

① 68을 말하는 사람은 누구입니까?
68÷6=11…2이므로 68은 나진이가 말합니다. [나진]

② 100을 말하는 사람은 누구입니까?
100÷6=16…4이므로 100은 애라가 말합니다. [애라]

각 손가락이 세는 수는 18개씩 같은 위치에 반복됩니다.

손가락 위치	소지	약지	중지	검지	엄지	엄지	검지	중지	약지	소지
18로 나눈 나머지	1	2	3	4	5	6	7	8	9	10
	0	17	16	15	14	13	12	11		

```
            20→21→22→ ......
19←18←17←16←15 ← 14←13←12←11↰
1 → 2 → 3 → 4 → 5 → 6 → 7 → 8 → 9 →10
        왼손              오른손
```

③ 99를 세는 손가락은 어느 쪽 어느 손가락입니까?
99÷18=5…9이므로 99는 오른손 약지로 셉니다. [오른손 약지]

④ 250을 세는 손가락은 어느 쪽 어느 손가락입니까?
250÷18=13…16이므로 250은 왼손 검지로 셉니다. [왼손 검지]

다음과 같은 순서로 실로폰을 치고 있습니다.

```
 ......14→15→16→ ......
13←12←11←10← 9 ← 8↰
1 → 2 → 3 → 4 → 5 → 6 → 7
```

치게 되는 건반은 12개씩 같은 위치에 반복됩니다.

건반	도	레	미	파	솔	라	시
12로 나눈 나머지	1	2	3	4	5	6	7
	0	11	10	9	8		

⑤ 85번째 치게 되는 건반은 무엇입니까?
85÷12=7…1이므로 85번째 치게 되는 건반은 도입니다. [도]

⑥ 177번째 치게 되는 건반은 무엇입니까?
177÷12=14…9이므로 177번째 치게 되는 건반은 솔입니다. [솔]

DAY 3

배열표에서 수 찾기 (1)

✏️ 다음과 같은 규칙으로 수를 배열하였습니다. 물음에 답하세요.

	1열	2열	3열	4열	……
1행	1	2	5	10	
2행	4	3	6	11	
3행	9	8	7	12	
4행	16	15	14	13	
……					↗

1열에 있는 수는 1×1, 2×2, 3×3, 4×4 ……입니다.

49는 몇 행 몇 열의 수입니까?

7행 1열

49=7×7이므로 49는 7행 1열의 수입니다.

47은 몇 행 몇 열의 수입니까?

7행 3열

7행 1열에서 오른쪽으로 갈수록 1씩 작아지므로 47은 7행 3열의 수입니다.

1열에 있는 수의 규칙을 찾아보자.

① 81은 몇 행 몇 열의 수입니까?

9행 1열

81=9×9이므로 81은 9행 1열의 수입니다.

② 78은 몇 행 몇 열의 수입니까?

9행 4열

9행 1열에서 오른쪽으로 갈수록 1씩 작아지므로 78은 9행 4열의 수입니다.

	1열	2열	3열	4열	……
1행	1	4	9	16	
2행	2	3	8	15	
3행	5	6	7	14	
4행	10	11	12	13	
……					↗

1행에 있는 수는 1×1, 2×2, 3×3, 4×4 ……입니다.

③ 64는 몇 행 몇 열의 수입니까?

1행 8열

64=8×8이므로 64는 1행 8열의 수입니다.

④ 62는 몇 행 몇 열의 수입니까?

3행 8열

1행 8열에서 아래쪽으로 갈수록 1씩 작아지므로 62는 3행 8열의 수입니다.

⑤ 100은 몇 행 몇 열의 수입니까?

1행 10열

100=10×10이므로 100은 1행 10열의 수입니다.

⑥ 97은 몇 행 몇 열의 수입니까?

4행 10열

1행 10열에서 아래쪽으로 갈수록 1씩 작아지므로 97은 4행 10열의 수입니다.

⑦ 116은 몇 행 몇 열의 수입니까?

6행 11열

121=11×11이므로 121은 1행 11열의 수입니다.
1행 11열에서 아래쪽으로 갈수록 1씩 작아지므로 116은 6행 11열의 수입니다.

pensées

DAY 4 배열표에서 수 찾기 (2)

다음과 같은 규칙으로 수를 배열하였습니다. 물음에 답하세요.

	1열	2열	3열	4열	
1행	1	2	5	10	……
2행	4	3	6	11	……
3행	9	8	7	12	……
4행	16	15	14	13	……
	……	……	……	……	╱

1×1, 2×2, 3×3, 4×4 …… 입니다.

더하는 수가 1부터 시작하여 2씩 커집니다.

더하는 수가 2부터 시작하여 2씩 커집니다.

가로, 세로, 대각선 방향으로 규칙을 찾을 수 있어.

	1열	2열	3열	4열	
1행	1	2	5	10	……
2행	4	3	6	11	……
3행	9	8	7	12	……
4행	16	15	14	13	……
	……	……	……	……	╱

❶ 13행 1열의 수는 무엇입니까?

$13 \times 13 = 169$

169

❷ 1행 8열의 수는 무엇입니까?

$1 + (1 + 3 + 5 + 7 + 9 + 11 + 13) = 50$

50

❸ 7행 7열의 수는 무엇입니까?

$1 + (2 + 4 + 6 + 8 + 10 + 12) = 43$

43

	1열	2열	3열	4열	
1행	1	4	9	16	……
2행	2	3	8	15	……
3행	5	6	7	14	……
4행	10	11	12	13	……
	……	……	……	……	╱

❹ 1행 15열의 수는 무엇입니까?

$15 \times 15 = 225$

225

❺ 10행 1열의 수는 무엇입니까?

$1 + (1 + 3 + 5 + 7 + 9 + 11 + 13 + 15 + 17) = 82$

82

❻ 9행 9열의 수는 무엇입니까?

$1 + (2 + 4 + 6 + 8 + 10 + 12 + 14 + 16) = 73$

73

❼ 4행 11열의 수는 무엇입니까?

1행 11열의 수는 $11 \times 11 = 121$입니다.
1행 11열에서 아래쪽으로 1칸씩 갈 때마다 1씩 줄어듭니다.
따라서 4행 11열의 수는 $121 - 3 = 118$

118

❽ 8행 6열의 수는 무엇입니까?

8행 8열의 수는 $1 + (2 + 4 + 6 + 8 + 10 + 12 + 14) = 57$입니다.
8행 8열에서 왼쪽으로 1칸씩 갈 때마다 1씩 줄어듭니다.
따라서 8행 6열의 수는 $57 - 2 = 55$입니다.

55

DAY 5 여러 가지 배열

다음과 같은 규칙으로 수를 배열하였습니다. 물음에 답하세요.

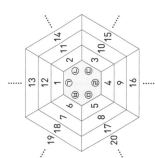

12로 나눈 나머지	1	2	3	4	5	6	7
			0	11	10	9	8
수의 위치	㉠	ⓛ	ⓒ	㉢	ⓜ	ⓝ	ⓞ

① 56이 있는 줄의 기호는 무엇입니까?

56÷12=4…8이므로 56은 ⓜ에 있습니다.

ⓜ

② 109가 있는 줄의 기호는 무엇입니까?

109÷12=9…1이므로 109는 ㉠에 있습니다.

㉠

8로 나눈 나머지	1	2	3	4	5
		0	7	6	
수의 위치	㉠	ⓛ	ⓒ	㉢	ⓜ

③ 79가 있는 줄의 기호는 무엇입니까?

79÷8=9…7이므로 79는 ⓒ에 있습니다.

ⓒ

④ 96이 있는 줄의 기호는 무엇입니까?

96÷8=12…0이므로 96은 ⓛ에 있습니다.

ⓛ

```
                1
              2 3 4          1행
          5  6  7  8  9      2행
      10 11 12 13 14 15 16   3행
  17 18 19 20 21 22 23 24 25 4행
                             5행
```

$81 = 9 \times 9$이므로 81은 9행의 마지막 수이고, 82는 10행의 첫 번째 수입니다.

따라서 84는 10행의 3번째 수입니다.

⑤ 84는 몇 행의 몇 번째 수입니까?

10행 3번째

⑥ 130은 몇 행의 몇 번째 수입니까?

$121 = 11 \times 11$이므로 121은 11행의 마지막 수이고, 122는 12행의 첫 번째 수입니다.

따라서 130은 12행의 9번째 수입니다.

12행 9번째

	1열	2열	3열	4열	5열	⋯
1행	1	4	5	16	17	⋯
2행	2	3	6	15	18	⋯
3행	9	8	7	14	19	⋯
4행	10	11	12	13	20	⋯
5행	25	24	23	22	21	⋯
⋯	⋯	⋯	⋯	⋯	⋯	⋯

1열에는 1×1, 3×3, 5×5 ⋯⋯

1행에는 2×2, 4×4, 6×6 ⋯⋯이 있습니다.

⑦ 100은 몇 행 몇 열의 수입니까?

$100 = 10 \times 10$이므로

100은 1행 10열의 수입니다.

1행 10열

⑧ 62는 몇 행 몇 열의 수입니까?

$64 = 8 \times 8$이므로 64는 1행 8열의 수입니다. 따라서 62는 3행 8열의 수입니다.

3행 8열

⑨ 123은 몇 행 몇 열의 수입니까?

$121 = 11 \times 11$이므로 121은 11행 1열의 수입니다. 따라서 122는 12행 1열의 수이고 123은 12행 2열의 수입니다.

12행 2열

확인학습

다음과 같은 규칙으로 수를 배열하였습니다. 물음에 답하세요.

	1열	2열	3열	4열	......
1행	1	2	5	10	......
2행	4	3	6	11	......
3행	9	8	7	12	......
4행	16	15	14	13	......
......	......	......	......	......	......

❶ 11행 1열의 수는 무엇입니까? 121

$11 \times 11 = 121$

❷ 1행 9열의 수는 무엇입니까? 65

$1+(1+3+5+7+9+11+13+15)=65$

❸ 8행 8열의 수는 무엇입니까? 57

$1+(2+4+6+8+10+12+14)=57$

다음과 같은 규칙으로 수를 배열하였습니다. 물음에 답하세요.

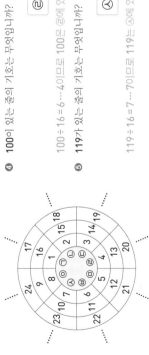

❹ 100이 있는 줄의 기호는 무엇입니까? ㉣

$100 \div 16 = 6 \cdots 4$이므로 100은 ㉣에 있습니다.

❺ 119가 있는 줄의 기호는 무엇입니까? ㉅

$119 \div 16 = 7 \cdots 7$이므로 119는 ㉅에 있습니다.

16으로 나눈	1	2	3	4	5	6	7	8
나머지	0	15	14	13	12	11	10	9
수의 위치	㉠	㉡	㉢	㉣	㉤	㉥	㉦	㉧

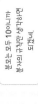

4주차 분수 수열

DAY 1

분모 또는 분자가 일정한 분수 수열

✎ 분수를 이용하여 수열을 만들 수 있습니다. 규칙을 찾아 □ 안에 알맞은 분수를 써넣으세요.

$\dfrac{1}{10}$, $\dfrac{3}{10}$, $\dfrac{5}{10}$, $\dfrac{7}{10}$, $\dfrac{9}{10}$, $\dfrac{11}{10}$, $\dfrac{13}{10}$, $\boxed{\dfrac{15}{10}}$

분자: 1부터 시작하여 2씩 커집니다.
분모: 10입니다.

분모도 모두 10이니까 분자의 규칙만 생각하면 되겠네.

❶ $\dfrac{2}{13}$, $\dfrac{6}{13}$, $\dfrac{10}{13}$, $\dfrac{14}{13}$, $\dfrac{18}{13}$, $\dfrac{22}{13}$, $\dfrac{26}{13}$, $\boxed{\dfrac{30}{13}}$

분자: 2부터 시작하여 4씩 커집니다.
분모: 13입니다.

❷ $\dfrac{10}{3}$, $\dfrac{10}{6}$, $\dfrac{10}{9}$, $\dfrac{10}{12}$, $\dfrac{10}{15}$, $\dfrac{10}{18}$, $\boxed{\dfrac{10}{21}}$, $\dfrac{10}{24}$

분자: 10입니다.
분모: 3부터 시작하여 3씩 커집니다.

❸ $\dfrac{2}{7}$, $\dfrac{8}{7}$, $\dfrac{14}{7}$, $\dfrac{20}{7}$, $\boxed{\dfrac{26}{7}}$, $\dfrac{32}{7}$, $\dfrac{38}{7}$, $\dfrac{44}{7}$

분자: 2부터 시작하여 6씩 커집니다.
분모: 7입니다.

❹ $\dfrac{1}{15}$, $\dfrac{2}{15}$, $\dfrac{4}{15}$, $\dfrac{8}{15}$, $\dfrac{16}{15}$, $\dfrac{32}{15}$, $\dfrac{64}{15}$, $\boxed{\dfrac{128}{15}}$

분자: 1부터 시작하여 2씩 곱합니다.
분모: 15입니다.

❺ $\dfrac{4}{20}$, $\dfrac{5}{20}$, $\dfrac{7}{20}$, $\dfrac{10}{20}$, $\dfrac{14}{20}$, $\dfrac{19}{20}$, $\dfrac{25}{20}$, $\boxed{\dfrac{32}{20}}$

분자: 더하는 수가 1부터 1씩 커집니다.
분모: 20입니다.

❻ $\dfrac{12}{2}$, $\dfrac{12}{4}$, $\dfrac{12}{8}$, $\dfrac{12}{14}$, $\dfrac{12}{22}$, $\boxed{\dfrac{12}{32}}$, $\dfrac{12}{44}$, $\dfrac{12}{58}$

분자: 12입니다.
분모: 더하는 수가 2부터 2씩 커집니다.

❼ $\dfrac{1}{8}$, $\dfrac{2}{8}$, $\dfrac{3}{8}$, $\dfrac{5}{8}$, $\dfrac{8}{8}$, $\dfrac{13}{8}$, $\boxed{\dfrac{21}{8}}$, $\dfrac{34}{8}$

분자: 앞의 두 수의 합입니다.
분모: 8입니다.

❽ $\dfrac{16}{3}$, $\dfrac{16}{2}$, $\dfrac{16}{5}$, $\dfrac{16}{7}$, $\dfrac{16}{12}$, $\dfrac{16}{19}$, $\dfrac{16}{31}$, $\boxed{\dfrac{16}{50}}$

분자: 16입니다.
분모: 앞의 두 수의 합입니다.

DAY 2 분수 수열 만들기

규칙에 맞게 분수 수열을 완성하세요.

[보기]
분자: 3씩 커집니다.
분모: 더하는 수가 1씩 커집니다.

$\dfrac{1}{2}$, $\dfrac{4}{3}$, $\dfrac{7}{5}$, $\dfrac{10}{8}$, $\dfrac{13}{12}$, $\dfrac{16}{17}$, $\dfrac{19}{23}$

> 규칙이 2개 있는 수열처럼 분모, 분자를 따로 생각해.

① 분자: 1, 2, 3이 반복됩니다.
분모: 4씩 커집니다.

$\dfrac{1}{3}$, $\dfrac{2}{7}$, $\dfrac{3}{11}$, $\dfrac{1}{15}$, $\dfrac{2}{19}$, $\dfrac{3}{23}$, $\dfrac{1}{27}$

② 분자: 1부터 순서대로 같은 수를 곱합니다.
분모: 2씩 작아집니다.

$\dfrac{1}{19}$, $\dfrac{4}{17}$, $\dfrac{9}{15}$, $\dfrac{16}{13}$, $\dfrac{25}{11}$, $\dfrac{36}{9}$, $\dfrac{49}{7}$

③ 분자: 2씩 곱합니다.
분모: 더하는 수가 3씩 커집니다.

$\dfrac{3}{50}$, $\dfrac{6}{53}$, $\dfrac{12}{59}$, $\dfrac{24}{68}$, $\dfrac{48}{80}$, $\dfrac{96}{95}$, $\dfrac{192}{113}$

④ 분자: 2, 4, 6, 8이 반복됩니다.
분모: 앞의 두 수의 합입니다.

$\dfrac{2}{5}$, $\dfrac{4}{2}$, $\dfrac{6}{7}$, $\dfrac{8}{9}$, $\dfrac{2}{16}$, $\dfrac{4}{25}$, $\dfrac{6}{41}$

⑤ 분자: 7의 단 곱셈구구 결과를 일의 자리 숫자만 나열합니다.
분모: +2, +4를 반복하여 계산합니다.

$\dfrac{7}{10}$, $\dfrac{4}{12}$, $\dfrac{1}{16}$, $\dfrac{8}{18}$, $\dfrac{5}{22}$, $\dfrac{2}{24}$, $\dfrac{9}{28}$

⑥ 분자: 2씩 곱합니다.
분모: 분자보다 3 큰 수입니다.

$\dfrac{2}{5}$, $\dfrac{4}{7}$, $\dfrac{8}{11}$, $\dfrac{16}{19}$, $\dfrac{32}{35}$, $\dfrac{64}{67}$, $\dfrac{128}{131}$

4주차 분수 수열

DAY 3
분수 수열 완성하기

분수로 만든 수열입니다. ☐ 안에 알맞은 수를 써넣으세요.

① $\dfrac{2}{5}$, $\dfrac{4}{8}$, $\dfrac{8}{11}$, $\dfrac{16}{14}$, $\dfrac{32}{17}$, $\boxed{\dfrac{64}{20}}$

분자: 2씩 곱합니다.
분모: 3씩 커집니다.

분모, 분자끼리 따로 규칙을 생각해 봐.

② $\dfrac{1}{3}$, $\dfrac{4}{5}$, $\dfrac{7}{8}$, $\dfrac{10}{12}$, $\dfrac{13}{17}$, $\dfrac{16}{23}$, $\boxed{\dfrac{19}{30}}$, $\boxed{\dfrac{22}{38}}$

분자: 3씩 커집니다.
분모: 더하는 수가 2부터 1씩 커집니다.

③ $\dfrac{10}{3}$, $\dfrac{13}{9}$, $\dfrac{19}{27}$, $\dfrac{28}{81}$, $\dfrac{40}{243}$, $\boxed{\dfrac{55}{729}}$

분자: 더하는 수가 3부터 3씩 커집니다.
분모: 3씩 곱합니다.

④ $\dfrac{1}{20}$, $\dfrac{2}{22}$, $\dfrac{3}{28}$, $\dfrac{5}{30}$, $\dfrac{8}{36}$, $\dfrac{13}{38}$, $\dfrac{21}{44}$, $\dfrac{34}{46}$, $\boxed{\dfrac{55}{52}}$

분자: 앞의 두 수의 합입니다.
분모: +2, +6을 반복하며 계산합니다.

⑤ $\dfrac{1}{4}$, $\dfrac{2}{5}$, $\dfrac{1}{7}$, $\dfrac{3}{10}$, $\dfrac{2}{14}$, $\dfrac{1}{19}$, $\dfrac{4}{25}$, $\dfrac{3}{32}$, $\dfrac{2}{40}$, $\dfrac{1}{49}$, $\boxed{\dfrac{5}{59}}$

분자: (1), (2, 1), (3, 2, 1), (4, 3, 2, 1), (5, 4, 3, 2, 1) ……과 같이 묶을 수 있습니다.
분모: 더하는 수가 1부터 1씩 커집니다.

⑥ $\dfrac{1}{1}$, $\left(\dfrac{3}{3}, \dfrac{2}{3}, \dfrac{1}{3}\right)$, $\left(\dfrac{5}{5}, \dfrac{4}{5}, \dfrac{3}{5}, \dfrac{2}{5}, \dfrac{1}{5}\right)$, $\boxed{\dfrac{7}{7}}$

묶음 안에서 분자는 분모와 같은 수부터 시작하여 1씩 작아집니다.

묶음	첫 번째	두 번째	세 번째	네 번째	다섯 번째
분모	1	3	5	7	
분수의 개수	1	3	5	7	

⑦ $\left(\dfrac{1}{1}\right)$, $\left(\dfrac{1}{2}, \dfrac{2}{1}\right)$, $\left(\dfrac{1}{3}, \dfrac{2}{3}, \dfrac{3}{1}\right)$, $\left(\dfrac{1}{4}, \dfrac{2}{3}, \dfrac{3}{2}, \dfrac{4}{1}\right)$, $\boxed{\dfrac{1}{5}}$

묶음 안에서 분자는 1부터 시작하여 1씩 커지고 분모는 1씩 작아집니다.

묶음	첫 번째	두 번째	세 번째	네 번째	다섯 번째
분자, 분모의 합	2	3	4	5	6
분수의 개수	1	2	3	4	5

⑧ $\left(\dfrac{1}{2}\right)$, $\left(\dfrac{1}{4}, \dfrac{2}{3}\right)$, $\left(\dfrac{1}{6}, \dfrac{2}{5}, \dfrac{3}{4}\right)$, $\left(\dfrac{1}{8}, \dfrac{2}{7}, \dfrac{3}{6}, \dfrac{4}{5}\right)$, $\boxed{\dfrac{1}{10}}$

묶음 안에서 분자는 1부터 시작하여 1씩 커지고 분모는 1씩 작아집니다.

묶음	첫 번째	두 번째	세 번째	네 번째	다섯 번째
분자, 분모의 합	3	5	7	9	11
분수의 개수	1	2	3	4	5

분수 수열의 □ 번째 수

분수로 만든 수열입니다. □ 안에 알맞은 수를 써넣으세요.

규칙을 잘 찾아보자.

① $\dfrac{1}{2}$, $\dfrac{3}{5}$, $\dfrac{5}{9}$, $\dfrac{7}{13}$, $\boxed{\dfrac{9}{20}}$, $\dfrac{11}{27}$, $\boxed{\dfrac{13}{35}}$, $\dfrac{15}{44}$ ... $\dfrac{5}{1}$, $\dfrac{7}{3}$, $\dfrac{9}{7}$, $\dfrac{11}{13}$, $\boxed{\dfrac{13}{21}}$, $\dfrac{15}{31}$, $\dfrac{17}{43}$

분자: 2씩 커집니다.
분모: 더하는 수가 3부터 1씩 커집니다.

② $\dfrac{1}{3}$, $\dfrac{4}{6}$, $\dfrac{10}{12}$, $\dfrac{22}{24}$, $\dfrac{46}{48}$, $\boxed{\dfrac{94}{96}}$, $\dfrac{190}{192}$

분자: 분모보다 2 작은 수입니다.
분모: 2씩 곱합니다.

③ $\dfrac{2}{99}$, $\dfrac{3}{95}$, $\dfrac{8}{91}$, $\boxed{\dfrac{9}{87}}$, $\dfrac{14}{83}$, $\dfrac{15}{79}$, $\dfrac{20}{75}$, $\dfrac{21}{71}$

분자: +1, +5를 반복하며 계산합니다.
분모: 4씩 작아집니다.

④ $\dfrac{1}{2}$, $\dfrac{4}{3}$, $\dfrac{5}{6}$, $\dfrac{8}{7}$, $\dfrac{9}{10}$, $\dfrac{12}{11}$, $\boxed{\dfrac{13}{14}}$, $\dfrac{16}{15}$, $\dfrac{17}{18}$

분자: +3, +1을 반복하며 계산합니다.
분모: +1, +3을 반복하며 계산합니다.

⑤ $\dfrac{1}{2}$, $\dfrac{2}{3}$, $\dfrac{3}{5}$, $\dfrac{5}{8}$, $\dfrac{8}{13}$, $\boxed{\dfrac{13}{21}}$, $\dfrac{21}{34}$, $\dfrac{34}{55}$

분자: 바로 앞의 분모를 그대로 씁니다. 또는 앞의 두 수를 더합니다.
분모: 앞의 분수의 분자와 분모를 더합니다.

⑥ $\dfrac{1}{3}$, $\dfrac{2}{4}$, $\dfrac{3}{6}$, $\dfrac{2}{9}$, $\dfrac{3}{13}$, $\dfrac{4}{18}$, $\dfrac{3}{24}$, $\dfrac{4}{31}$, $\dfrac{5}{39}$, $\boxed{\dfrac{4}{48}}$, $\dfrac{5}{58}$

분자: (1, 2, 3), (2, 3, 4), (3, 4, 5), (4, 5, 6) ......과 같이 1씩 커집니다.
분모: 더하는 수가 1부터 1씩 커집니다.

⑦ $\dfrac{1}{1}$, $\dfrac{2}{1}$, $\dfrac{2}{2}$, $\dfrac{3}{1}$, $\dfrac{3}{2}$, $\dfrac{3}{3}$, $\boxed{\dfrac{4}{1}}$, $\dfrac{4}{2}$, $\dfrac{4}{3}$

묶음 안에서 분모는 1부터 시작하여 1씩 커집니다.

묶음	첫 번째	두 번째	세 번째	네 번째
분자	1	2	3	4
분수의 개수	1	2	3	4

⑧ $\dfrac{1}{1}$, $\dfrac{1}{2}$, $\dfrac{2}{1}$, $\dfrac{1}{3}$, $\dfrac{2}{2}$, $\dfrac{3}{1}$, $\dfrac{1}{4}$, $\dfrac{2}{3}$, $\dfrac{3}{2}$, $\boxed{\dfrac{4}{1}}$, $\boxed{\dfrac{5}{1}}$

홀수 번째 묶음 안에서 분자는 1씩 작아지고 분모는 1씩 커집니다.
짝수 번째 묶음 안에서 분자는 1씩 커지고 분모는 1씩 작아집니다.

묶음	첫 번째	두 번째	세 번째	네 번째	다섯 번째
분자, 분모의 합	2	3	4	5	6
분수의 개수	1	2	3	4	5

4주차 분수 수열

DAY 5

분수를 고쳐 쓰는 수열

✎ 분수로 만든 수열입니다. □ 안에 알맞은 수를 써넣으세요.

$\dfrac{1}{5}$, $\dfrac{4}{5}$, $1\dfrac{2}{5}$, 2, $2\dfrac{3}{5}$, $3\dfrac{1}{5}$, $3\dfrac{4}{5}$

대분수, 자연수를 가분수로 고친 후 수열을 나열하면
$\dfrac{1}{5}$ $\dfrac{4}{5}$ $\dfrac{7}{5}$ $\dfrac{10}{5}$ $\dfrac{13}{5}$ $\dfrac{16}{5}$ $\dfrac{19}{5}$ $\dfrac{22}{5}$

따라서 $\dfrac{22}{5} = 4\dfrac{2}{5}$ 입니다. → $\boxed{4\dfrac{2}{5}}$

① 먼저 대분수, 자연수를 가분수로 나타냅니다.

2, $3\dfrac{1}{4}$, $4\dfrac{2}{4}$, $5\dfrac{3}{4}$, 7, $8\dfrac{1}{4}$, $9\dfrac{2}{4}$, $\boxed{10\dfrac{3}{4}}$

$\tfrac{8}{4}$ $\tfrac{13}{4}$ $\tfrac{18}{4}$ $\tfrac{23}{4}$ $\tfrac{28}{4}$ $\tfrac{33}{4}$ $\tfrac{38}{4}$ $\tfrac{43}{4}$

분모는 40이고 분자는 5씩 커집니다.

② $\dfrac{7}{9}$, $1\dfrac{5}{9}$, $2\dfrac{3}{9}$, $3\dfrac{1}{9}$, $3\dfrac{8}{9}$, $4\dfrac{6}{9}$, $5\dfrac{4}{9}$, $\boxed{6\dfrac{2}{9}}$

$\tfrac{14}{9}$ $\tfrac{21}{9}$ $\tfrac{28}{9}$ $\tfrac{35}{9}$ $\tfrac{42}{9}$ $\tfrac{49}{9}$ $\tfrac{56}{9}$

분모는 90이고 분자는 7씩 커집니다.

③ $\dfrac{4}{5}$, $1\dfrac{3}{5}$, $2\dfrac{2}{5}$, $3\dfrac{1}{5}$, 4, $\boxed{4\dfrac{4}{5}}$, $5\dfrac{3}{5}$, $6\dfrac{2}{5}$

$\tfrac{8}{5}$ $\tfrac{12}{5}$ $\tfrac{16}{5}$ $\tfrac{20}{5}$ $\tfrac{24}{5}$ $\tfrac{28}{5}$ $\tfrac{32}{5}$

분모는 50이고 분자는 4씩 커집니다.

마지막에 답을 쓸 때에는 다른 수들과 모양이 같도록 대분수로 다시 고쳐야 해.

④ 먼저 대분수, 자연수를 가분수로 나타냅니다.

$\dfrac{3}{13}$, $\dfrac{4}{13}$, $\dfrac{6}{13}$, $\dfrac{9}{13}$, 1, $1\dfrac{5}{13}$, $1\dfrac{11}{13}$, $\boxed{2\dfrac{5}{13}}$

$\tfrac{13}{13}$ $\tfrac{18}{13}$ $\tfrac{24}{13}$ $\tfrac{31}{13}$

분모는 13이고 분자는 더하는 수가 1부터 1씩 커집니다.

⑤ $\dfrac{2}{9}$, $\dfrac{5}{9}$, $1\dfrac{1}{9}$, $1\dfrac{8}{9}$, $2\dfrac{8}{9}$, $4\dfrac{1}{9}$, $5\dfrac{5}{9}$, $\boxed{7\dfrac{2}{9}}$

$\tfrac{10}{9}$ $\tfrac{17}{9}$ $\tfrac{26}{9}$ $\tfrac{37}{9}$ $\tfrac{50}{9}$ $\tfrac{65}{9}$

분모는 90이고 분자는 더하는 수가 3부터 2씩 커집니다.

⑥ $\dfrac{1}{6}$, $\dfrac{3}{6}$, 1, $1\dfrac{4}{6}$, $2\dfrac{3}{6}$, $3\dfrac{3}{6}$, $\boxed{4\dfrac{4}{6}}$, 6

$\tfrac{6}{6}$ $\tfrac{10}{6}$ $\tfrac{15}{6}$ $\tfrac{21}{6}$ $\tfrac{28}{6}$ $\tfrac{36}{6}$

분모는 60이고 분자는 더하는 수가 2부터 1씩 커집니다.

⑦ $\dfrac{6}{10}$, $\dfrac{8}{10}$, $1\dfrac{2}{10}$, $1\dfrac{8}{10}$, 2, $2\dfrac{4}{10}$, $\boxed{2\dfrac{6}{10}}$

$\tfrac{12}{10}$ $\tfrac{18}{10}$ $\tfrac{20}{10}$ $\tfrac{24}{10}$ $\tfrac{26}{10}$

분모는 100이고 분자는 +2, +4를 반복하여 계산합니다.

⑧ $\dfrac{1}{8}$, $\dfrac{2}{8}$, $\dfrac{3}{8}$, $\dfrac{5}{8}$, 1, $1\dfrac{5}{8}$, $2\dfrac{5}{8}$, $\boxed{4\dfrac{2}{8}}$

$\tfrac{8}{8}$ $\tfrac{13}{8}$ $\tfrac{21}{8}$ $\tfrac{34}{8}$

분모는 80이고 분자는 앞의 두 분수의 분자를 더합니다.

✎ 분수로 만든 수열입니다. □ 안에 알맞은 수를 써넣으세요.

① $\dfrac{5}{3}$, $\dfrac{10}{6}$, $\dfrac{15}{12}$, $\dfrac{20}{24}$, $\dfrac{25}{48}$, $\dfrac{30}{96}$, $\boxed{\dfrac{35}{192}}$

분자: 5씩 커집니다.
분모: 2씩 곱합니다.

② $\dfrac{3}{5}$, $\dfrac{7}{9}$, $\dfrac{11}{14}$, $\dfrac{15}{...}$, $\dfrac{19}{21}$, $\dfrac{23}{30}$, $\boxed{\dfrac{27}{41}}$

분자: 4씩 커집니다.
분모: 더하는 수가 1부터 2씩 커집니다.

③ $\dfrac{1}{1}$, $\left(\dfrac{1}{2}\right)$, $\dfrac{2}{2}$, $\left(\dfrac{1}{3}\right)$, $\dfrac{2}{3}$, $\dfrac{3}{3}$, $\left(\dfrac{1}{4}\right)$, $\dfrac{2}{4}$, $\dfrac{3}{4}$, $\boxed{\dfrac{4}{4}}$

묶음 안에서 분자는 1부터 시작하여 1씩 커집니다.

묶음	첫 번째	두 번째	세 번째	네 번째
분수의 개수	1	2	3	4
분모	1	2	3	4

✎ 분수로 만든 수열입니다. □ 안에 알맞은 수를 써넣으세요.

④ $\dfrac{4}{6}$, $1\dfrac{2}{6}$, 2, $2\dfrac{4}{6}$, $3\dfrac{2}{6}$, 4, $4\dfrac{4}{6}$, $5\dfrac{2}{6}$, 6, $\boxed{6\dfrac{4}{6}}$

먼저 대분수, 자연수를 가분수로 나타냅니다.
$\dfrac{4}{6}$, $\dfrac{8}{6}$, $\dfrac{16}{6}$, $\dfrac{24}{6}$, $\dfrac{20}{6}$, $\dfrac{28}{6}$, $\dfrac{32}{6}$, $\dfrac{36}{6}$, $\dfrac{40}{6}$
분모는 6이고 분자는 4씩 커집니다.

⑤ $\dfrac{2}{8}$, $1\dfrac{3}{8}$, 2, $2\dfrac{6}{8}$, $3\dfrac{5}{8}$, 4, $4\dfrac{5}{8}$, $5\dfrac{6}{8}$, $\boxed{7}$

먼저 대분수, 자연수를 가분수로 나타냅니다.
$\dfrac{2}{8}$, $\dfrac{11}{8}$, $\dfrac{16}{8}$, $\dfrac{29}{8}$, $\dfrac{37}{8}$, $\dfrac{46}{8}$, $\dfrac{56}{8}$
분모는 8이고 분자는 더하는 수가 2부터 1씩 커집니다.

마무리 평가

TEST 1

마무리 평가

Pensées
제한 시간 15분
맞은 개수 /8개

❖ 규칙을 찾아 빈 곳을 알맞게 완성하세요.

❶

방향으로 2칸씩 이동하면서 1칸씩 늘어나도록 색칠합니다. 이때 짝수 번째는 색이 반전됩니다.

❷

● 모양은 ↘ 방향으로 1칸, 2칸, 3칸 …… 씩 이동하고, ■ 모양은 ↙ 방향으로 2칸씩 이동합니다.

❖ 수열입니다. □ 안에 알맞은 수를 써넣으세요.

❸ 3, 7, 11, 15, 19 ……

처음 수부터 20번째 수까지의 합: **820**

처음 수는 3, 더하는 수는 4이므로 20번째 수는 3+(4×19)=79입니다.
따라서 처음 수는 3, 마지막 수는 79, 수의 개수는 20개이므로
(3+79)×20÷2=820

❹ 1, 8, 15, 22, 29 ……

처음 수부터 15번째 수까지의 합: **750**

처음 수는 1, 더하는 수는 7이므로 15번째 수는
1+(7×14)=99입니다.
따라서 처음 수는 1, 마지막 수는 99, 수의 개수
는 15개이므로 (1+99)×15÷2=750

❖ 다음과 같은 규칙으로 수를 배열하였습니다. 물음에 답하세요.

수의 위치	㉠	㉡	㉢	㉣	㉤	㉥	㉦
14로 나눈 나머지	1	2	3	4	5	6	7
	0	13	12	11	10	9	8

㉠	㉡	㉢	㉣	㉤	㉥	㉦
1	2	3	4	5	6	7
14	13	12	11	10	9	8
15	16	17	18	19	20	21
28	27	26	25	24	23	22
29	30	31	32	33	34	35
……	……	……	……	……	……	……

❺ 91이 있는 줄의 기호는 무엇입니까?   **㉦**

91÷14=6…7이므로 91은 ㉦에 있습니다.

❻ 132가 있는 줄의 기호는 무엇입니까?   **㉥**

132÷14=9…6이므로 132는 ㉥에 있습니다.

❖ 분수로 만든 수열입니다. □ 안에 알맞은 수를 써넣으세요.

❼ $\dfrac{3}{10}$, $\dfrac{4}{10}$, $\dfrac{8}{10}$, $\dfrac{15}{10}$, $\dfrac{25}{10}$, $\dfrac{38}{10}$, $\dfrac{54}{10}$, **$\dfrac{73}{10}$**

분자: 더하는 수가 1부터 3씩 커집니다.
분모: 10입니다.

❽ $\dfrac{9}{1}$, $\dfrac{9}{2}$, $\dfrac{9}{3}$, $\dfrac{9}{5}$, $\dfrac{9}{8}$, $\dfrac{9}{13}$, $\dfrac{9}{21}$, **$\dfrac{9}{34}$**

분자: 9입니다.
분모: 앞의 두 수의 합입니다.

마무리 평가

❶ 규칙에 따라 모양을 만든 것입니다. 6번째 모양에서 정사각형의 개수를 구해 보세요.

정사각형의 1번째   2번째   3번째   4번째
개수: 1×1   (1×1)+(2×2)   (2×2)+(3×3)   (3×3)+(4×4)

5번째 모양에서 정사각형의 개수: (4×4)+(5×5)
6번째 모양에서 정사각형의 개수: (5×5)+(6×6)=25+36=61

[61] 개

❖ 수열입니다. ☐ 안에 알맞은 수를 써넣으세요.

❷ 1, 3, 8, 16, 27, 41, 58, 78, [101]
더하는 수가 2부터 3씩 커집니다.

❸ 1, 2, 6, 12, 36, 72, [76], 152
×2, +4를 반복하며 계산합니다.
×3   ×3   ×3

❹ 1, 2, 13, 6, 25, 18, 37, 54, [49], [162]
+12   ×3   +12   ×3

❖ 다음과 같은 규칙으로 수를 배열하였습니다. 물음에 답하세요.

	1열	2열	3열	4열	
1행	1	4	9	16	……
2행	2	3	8	15	……
3행	5	6	7	14	……
4행	10	11	12	13	……
	……	……	……	……	

1행에 있는 수는 1×1, 2×2, 3×3, 4×4 ……입니다.

❺ 79는 몇 행 몇 열인 수입니까?
81=9×9이므로 81은 1행 9열인 수입니다. 1행 9열에서 아래쪽으로 갈수록 1씩 작아지므로 79는 3행 9열의 수입니다.

[3행 9열]

❻ 85는 몇 행 몇 열인 수입니까?
82는 10행 1열의 수입니다. 10행 1열에서 오른쪽으로 갈수록 1씩 커지므로 85는 10행 4열인 수입니다.

[10행 4열]

❖ 분수로 만든 수열입니다. ☐ 안에 알맞은 수를 써넣으세요.

❼ $\frac{3}{2}$, $\frac{5}{4}$, $\frac{9}{8}$, $\frac{15}{16}$, $\frac{23}{32}$, $\frac{33}{64}$, [$\frac{45}{128}$]
분자: 더하는 수가 2부터 2씩 커집니다.
분모: 2씩 곱합니다.

❽ $\frac{1}{2}$, $\frac{1}{5}$, $\frac{3}{6}$, $\frac{1}{9}$, $\frac{5}{10}$, $\frac{3}{13}$, $\frac{1}{14}$, $\frac{5}{17}$, $\frac{3}{18}$, $\frac{7}{21}$, [$\frac{1}{22}$]
분자: (1), (1, 3), (1, 3, 5), (1, 3, 5, 7), (1, 3, 5, 7, 9) ……과 같이 묶일 수 있습니다.
분모: +3, +1을 반복하며 계산합니다.

마무리 평가

TEST 3

❖ 삼종 패턴을 만들고 있습니다. 규칙을 찾아 빈칸을 알맞게 색칠하세요.

①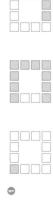

패턴1: 색칠된 칸이 1개씩 늘어납니다.
패턴2: 색칠된 칸이 ↗방향으로 1칸, 2칸, 3칸 ……씩 회전합니다.
패턴3: 짝수 번째는 색이 반전됩니다.

②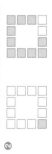

패턴1: 색칠된 칸이 1개씩 늘어납니다.
패턴2: 색칠된 칸이 ↗방향으로 2칸씩 회전합니다.
패턴3: 짝수 번째는 색이 반전됩니다.

❖ 수열입니다. ☐안에 알맞은 수를 써넣으세요.

③ (3), (3, 6), (3, 6, 9), (3, 6, 9, 12), (3, 6, 9, 12, 15), 3 …… [35번째] 21

괄호 안의 수는 항상 3이고, 괄호 안의 수의 개수는 1, 2, 3, 4 ……로 1개씩 늘어납니다. 7번째 묶음까지의 수의 개수는 1+2+3+4+5+6+7=28이므로 35번째 수는 8번째 묶음의 7번째 수입니다. 따라서 21입니다.

④ (1), (1, 3, 1), (1, 3, 5, 3, 1), (1, 3, 5, 7, 5, 3, 1) …… [45번째] 9

괄호 안의 첫 번째 수는 1이고, 괄호 안의 수의 개수는 1, 3, 5, 7 ……로 2개씩 늘어납니다. 6번째 묶음까지의 수의 개수는 1+3+5+7+9+11=36이므로 45번째 수는 7번째 묶음의 9번째 수입니다. 7번째 묶음의 수를 나열하면 1, 3, 5, 7, 9, 11, 13, 11, 9, 7, 5, 3, 1이므로 9번째 수는 9입니다.

❖ 다음과 같은 규칙으로 수를 배열하였습니다. 물음에 답하세요.

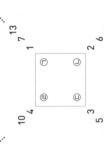

⑤ 49가 있는 줄의 기호는 무엇입니까? [㉠]

49÷6=8…1이므로 49는 ㉠에 있습니다.

⑥ 77이 있는 줄의 기호는 무엇입니까? [㉡]

77÷6=12…5이므로 77은 ㉡에 있습니다.

6으로 나눈 나머지	1	2	3	4
		0	5	
수의 위치	㉠	㉡	㉢	㉣

❖ 규칙에 맞게 분수 수열을 완성하세요.

⑦ 분자: 2, 4, 6이 반복됩니다.
분모: 더하는 수가 2부터 2씩 커집니다.

$\dfrac{2}{10}$, $\dfrac{4}{12}$, $\dfrac{2}{16}$, $\dfrac{6}{22}$, $\dfrac{4}{30}$, $\dfrac{6}{40}$, $\dfrac{2}{52}$

⑧ 분자: 3의 단 곱셈구구 결과를 일의 자리 숫자만 나열합니다.
분모: +2, +5를 반복하여 계산합니다.

$\dfrac{3}{7}$, $\dfrac{6}{9}$, $\dfrac{9}{14}$, $\dfrac{2}{16}$, $\dfrac{5}{21}$, $\dfrac{8}{23}$, $\dfrac{1}{28}$

TEST 4
마무리 평가

❶ 바둑돌을 규칙에 따라 놓아줬습니다. 10번째 모양에서 검은색 바둑돌과 흰색 바둑돌 중 개수가 많은 것에 ○표 하고, □ 안에 알맞은 수를 써넣으세요.

1번째　　2번째　　3번째

(검은색 , 흰색) 바둑돌이 99 개 더 많습니다.

개수(개)	1번째	2번째	3번째	......	10번째
검은색 바둑돌	4	4+8	4+8+12	......	4+8+12+......+40
흰색 바둑돌	2×2	3×3	4×4	......	11×11

10번째 모양에서 검은색 바둑돌은 4+8+12+......+40=(4+40)×10÷2=220(개), 흰색 바둑돌은 11×11=121(개)이므로 검은색 바둑돌이 220-121=99(개) 더 많습니다.

❖ 수열입니다. □ 안에 알맞은 수를 써넣으세요.

❷ 7, 5, 1, 3, 4, 7, 5, 1, 3, 4, 7, 5, 1, 3 ...... [1] 48번째

7, 5, 1, 3, 4 다섯 개의 수가 반복됩니다. 48÷5=9...3이므로 48번째 수는 세 번째 수인 1과 같습니다.

❸ 4, 7, 10, 13, 16, 19 ...... [166] 55번째

처음 수는 4, 더하는 수는 3입니다. 55번째 수는 4에서 3을 54번 더한 수와 같으므로 4+(3×54)=4+162=166입니다.

❹ 70, 68, 66, 64, 62, 60 ...... [18] 27번째

처음 수는 70, 빼는 수는 2입니다. 27번째 수는 700에서 2를 26번 뺀 수와 같으므로 70-(2×26)=70-52=18입니다.

❖ 다음과 같은 규칙으로 수를 배열하였습니다. 물음에 답하세요.

	1열	2열	3열	4열	......
1행	1	2	5	10	......
2행	4	3	6	11	......
3행	9	8	7	12	......
4행	16	15	14	13	......
......					

❺ 12행 4열의 수는 무엇입니까? [141]

12행 1열의 수는 12×12=144
12행 1열에서 오른쪽으로 1칸씩 갈 때마다 1씩 줄어들므로 12행 4열의 수는 141입니다.

❻ 3행 9열의 수는 무엇입니까? [67]

1행 9열의 수는 1+(1+3+5+7+9+11+13+15)=65
1행 9열에서 아래쪽으로 1칸씩 갈 때마다 1씩 늘어나므로
3행 9열의 수는 67입니다.

❖ 분수로 만든 수열입니다. □ 안에 알맞은 수를 써넣으세요.

❼ $\frac{2}{2}$, $\frac{8}{5}$, $\frac{14}{10}$, $\frac{20}{17}$, $\boxed{\frac{26}{26}}$, $\frac{32}{37}$, $\frac{38}{50}$, $\frac{44}{65}$

분자: 6씩 커집니다.
분모: 더하는 수가 3부터 2씩 커집니다.

❽ $\frac{1}{1}$, $\left(\frac{1}{2}\right)$, $\frac{2}{2}$, $\left(\frac{2}{3}\right)$, $\frac{2}{3}$, $\left(\frac{3}{3}\right)$, $\frac{1}{3}$, $\left(\frac{1}{4}\right)$, $\frac{2}{4}$, $\boxed{\frac{3}{4}}$, $\boxed{\frac{4}{4}}$

묶음 안에서 분자는 1부터 시작하여 1씩 커집니다.

	첫 번째	두 번째	세 번째	네 번째
분수의 개수	1	2	3	4
분모	1	2	3	4

마무리 평가

TEST 5

마무리 평가

❖ 규칙을 찾아 빈 곳에 알맞은 모양을 그려 보세요.

❶

29번째 ◯◯◯

색깔: 마디가 3개이므로 29÷3=9…2, 두 번째 색깔인 흰색과 같습니다.
모양: 마디가 5개이므로 29÷5=5…4, 네 번째 모양인 ◯와 같습니다.
개수: 마디가 4개이므로 29÷4=7…1, 첫 번째 개수인 3개와 같습니다.

❷

33번째 ●●

색깔: 마디가 2개이므로 33÷2=16…1, 첫 번째 색깔인 파란색과 같습니다.
모양: 마디가 4개이므로 33÷4=8…1, 첫 번째 모양인 ◯와 같습니다.
개수: 마디가 3개이므로 33÷3=11…0, 마지막(세 번째) 개수인 2개와 같습니다.

❖ 다하는 수가 일정하게 커지는 수열의 ■번째 수를 구하려고 합니다. □ 안에 알맞은 수를 써넣
으세요.

❸ 5, 6, 8, 11, 15 ……
1, 2, 3, 4

① 다하는 수는 1부터 19까지의 수입니다.
② 1부터 19까지 19개 수의 합은 (1+19)×19÷2=190입니다.
③ 따라서 20번째 수는 5+190=195입니다.

20번째 195

❹ 1, 4, 10, 19, 31 ……
3, 6, 9, 12

① 다하는 수는 14개이므로 14번째로 다하는 수는 3+(3×13)=42입니다.
② 3부터 42까지 14개 수의 합은 (3+42)×14÷2=315입니다.
③ 따라서 15번째 수는 1+315=316입니다.

15번째 316

❖ 다음과 같은 순서로 피아노를 치고 있습니다. 물음에 답하세요.

15→16→17→18→ ……
14←13←12←11←10← 9 ←
1 → 2 → 3 → 4 → 5 → 6 → 7 → 8

치게 되는 건반은 14개씩 같은 위치에 반복됩니다.

건반	도	레	미	솔	라	파	솔	미	레	도
14로 나눈 나머지	1	2	3	4	5	6	7	8	9	
	0	13	12	11	10					

❺ 96번째 치게 되는 건반은 무엇입니까? 파

96÷14=6…12이므로 96번째 치게 되는 건반은 파입니다.

❻ 150번째 치게 되는 건반은 무엇입니까? 라

150÷14=10…10이므로 150번째 치게 되는 건반은 라입니다.

❖ 분수로 만든 수열입니다. □ 안에 알맞은 수를 써넣으세요.

❼ $\frac{10}{12}$, $1\frac{8}{12}$, $2\frac{6}{12}$, $3\frac{4}{12}$, $4\frac{2}{12}$, 5, $5\frac{10}{12}$ ……

$\frac{10}{12}$ $\frac{20}{12}$ $\frac{30}{12}$ $\frac{40}{12}$ $\frac{50}{12}$ $\frac{60}{12}$ $\frac{70}{12}$

먼저 대분수, 자연수를 가분수로 나타냅니다.
분모는 12이고 분자는 10씩 커집니다.

$6\frac{8}{12}$, $\frac{80}{12}$

❽ $\frac{1}{5}$, $\frac{3}{5}$, $\frac{4}{5}$, $1\frac{2}{5}$, $2\frac{1}{5}$, $3\frac{3}{5}$, $5\frac{4}{5}$, $9\frac{2}{5}$ ……

$\frac{1}{5}$ $\frac{3}{5}$ $\frac{4}{5}$ $\frac{7}{5}$ $\frac{11}{5}$ $\frac{18}{5}$ $\frac{29}{5}$ $\frac{47}{5}$

먼저 대분수, 자연수를 가분수로 나타냅니다.
분모는 5이고 분자는 앞의 두 분수의 분자를 더합니다.

$9\frac{2}{5}$, $\frac{47}{5}$

pensées

pensées

사고가 자라는 수학
씨투엠에듀 교재 로드맵

대상	사고력	도형	연산	서술형	영재교육원 대비
	사고력수학의 시작 **팡세**	하루 10분 도형 학습지 **플라토**	상위권으로 가는 연산 학습지 **응용연산**	하루 10분 서술형/문장제 학습지 **수학독해**	영재교육원 관찰추천 사고력 수학 **필즈수학**
6세	팡세 S1 S1 패턴 S2 퍼즐과 전략 S3 유추 S4 카운팅	플라토 A-1 S1 평면규칙 S2 도형조작 S3 입체설계 S4 공간지각	응용연산 S1 S1 10까지의 수 S2 20까지의 수 S3 한 자리 수 덧셈 S4 덧셈과 뺄셈	수학독해 S1 S1 9까지의 수 S2 방향과 위치 S3 더하기와 빼기 S4 속성 분류	
7세	팡세 P1 P1 패턴 P2 퍼즐과 전략 P3 유추 P4 카운팅	플라토 P-1 P1 평면규칙 P2 도형조작 P3 입체설계 P4 공간지각	응용연산 P1 P1 50까지의 수 P2 100까지의 수 P3 덧셈과 뺄셈(1) P4 덧셈과 뺄셈(2)	수학독해 P1 P1 20까지의 수 P2 비교하기 P3 덧셈과 뺄셈 P4 모양과 규칙	
초1	팡세 A1 A1 패턴 A2 퍼즐과 전략 A3 유추 A4 카운팅	플라토 A-1 A1 평면규칙 A2 도형조작 A3 입체설계 A4 공간지각	응용연산 A1 A1 한 자리 수 덧셈 A2 (십몇)-(몇) A3 덧셈과 뺄셈(1) A4 덧셈과 뺄셈(2)	수학독해 A1 A1 100까지의 수 A2 덧셈과 뺄셈 I A3 시계와 규칙 A4 덧셈과 뺄셈 II	
초2	팡세 B1 B1 패턴 B2 퍼즐과 전략 B3 유추 B4 카운팅	플라토 B-1 B1 평면규칙 B2 도형조작 B3 입체설계 B4 공간지각	응용연산 B1 B1 곱셈구구 B2 나눗셈구구 B3 덧셈과 뺄셈 B4 곱셈과 나눗셈	수학독해 B1 B1 네 자리 수 B2 덧셈과 뺄셈 B3 곱셈구구 B4 길이와 시간	영재 사고력수학 필즈 입문 상 / 입문 중 / 입문 하
초3	팡세 C1 C1 패턴 C2 퍼즐과 전략 C3 유추 C4 카운팅	플라토 C-1 C1 평면규칙 C2 도형조작 C3 입체설계 C4 공간지각	응용연산 C1 C1 분수와 소수 C2 여러 가지 분수 C3 곱셈과 나눗셈 C4 큰 수의 계산	수학독해 C1 C1 덧셈과 뺄셈 C2 곱셈과 나눗셈 C3 측정 단위 C4 분수와 소수	필즈수학 초급 상 / 초급 하
초4	팡세 D1 D1 패턴 D2 퍼즐과 전략 D3 유추 D4 카운팅	플라토 D-1 D1 평면규칙 D2 도형조작 D3 입체설계 D4 공간지각	응용연산 D1 D1 분수 덧셈 뺄셈 D2 소수 덧셈 뺄셈 D3 혼합 계산 D4 약수와 배수	수학독해 D1 D1 자연수 D2 평면도형 D3 분수와 소수 D4 통계와 규칙	필즈수학 중급 상 / 중급 하
초5	팡세 E1 출시 예정 E1 패턴 E2 퍼즐과 전략 E3 유추 E4 카운팅	플라토 E-1 E1 평면규칙 E2 도형조작 E3 입체설계 E4 공간지각	응용연산 E1 E1 분수 덧셈 뺄셈 E2 분수의 곱셈 E3 분수의 나눗셈 E4 분수·소수 혼합	수학독해 출시 예정 E1권 E2권 E3권 E4권	필즈수학 고급 상 / 고급 하
초6	팡세 F1 출시 예정 F1 패턴 F2 퍼즐과 전략 F3 유추 F4 카운팅	플라토 F-1 F1 평면규칙 F2 도형조작 F3 입체설계 F4 공간지각		수학독해 출시 예정 F1권 F2권 F3권 F4권	

Man is but a reed,
the most feeble thing in nature;
but he is a thinking reed,

"인간은 자연에서 가장 연약한 갈대에 불과하다.
하지만 인간은 생각하는 갈대이다."

Blaise Pascal, 블레즈 파스칼

씨투엠 초등 수학 교구 상자

펜토미노턴

평면 공간감각을 길러주는 회전 펜토미노 퍼즐

초등학생들이 어려워하는 '평면도형의 이동'을 펜토미노와 패턴블록으로 도형을 직접 돌려 보며 재미있게 해결하는 공간감각 퍼즐입니다.

큐브빌드

입체 공간감각을 길러주는 멀티큐브 퍼즐

머릿속으로 그리기 어려운 입체도형을 쌓기나무와 멀티큐브를 이용하여 직접 만들어 위, 앞, 옆 모양을 관찰하고, 다양한 입체 모양을 만드는 공간감각 퍼즐입니다.

폴리탄

도형 감각을 길러주는 입체 칠교 퍼즐

정사각형을 7조각으로 자른 '입체 칠교'와 직각이등변삼각형을 붙인 '입체 볼로'를 활용하여 평면뿐만 아니라 다양한 입체도형 문제를 해결하는 퍼즐입니다.

트랜스넘버

자유자재로 식을 만드는 멀티 숫자 퍼즐

자유자재로 식을 만들고 이를 변형, 응용하는 활동을 통해 연산 원리와 연산감각을 길러주는 멀티 숫자 퍼즐입니다.

머긴스빙고

수 감각을 길러주는 창의 연산 보드 게임

빙고 게임과 머긴스 게임을 활용하여 수 감각과 연산 능력을 끌어올리고 전략적 사고를 키우는 사고력 보드 게임입니다.

폴리스퀘어

공간감각을 길러주는 입체 폴리오미노 보드 게임

모노미노부터 펜토미노까지의 폴리오미노를 이용하여 다양한 모양을 만들어 보고, 여러 가지 땅따먹기 게임 등을 통해 공간감각을 기를 수 있는 보드 게임입니다.

큐보이드

입체를 펼치고 접는 전개도 퍼즐

 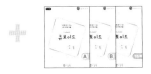

여러 가지 모양의 면을 자유롭게 연결하여 접었다 펼치는 활동을 통해 정육면체, 직육면체 전개도의 모든 것을 알아보는 전개도 퍼즐입니다.